Chocolat
& caramel

150 RECETTES
DÉLICIEUSES

Chocolat
& caramel

Sweet MARABOUT

Trish Deseine
Photographies de Marie-Pierre Morel

© Hachette Livre (Marabout), 2014

Préparation des textes : Isabelle Yafil
Maquette : Nord Compo
Relecture : Véronique Dussidour

8755548
ISBN : 978-2-501-09643-0
Dépôt légal : avril 2014
Achevé d'imprimer en mars 2014 sur les presses de Macrolibros en Espagne.

Sommaire

LES BASIQUES DU CHOCOLAT 6

LES GÂTEAUX AU CHOCOLAT 42

BOUCHÉES ET BONBONS 74

GOÛTERS AU CHOCOLAT 100

DESSERTS POUR TOUS LES JOURS 146

DESSERTS DES GRANDS JOURS 170

LES BASIQUES DU CARAMEL 214

GOÛTERS AU CARAMEL 252

DESSERTS POUR TOUS LES JOURS 276

DESSERTS DES GRANDS JOURS 296

les **basiques**
du
chocolat

QUELQUES CONSEILS AVANT DE COMMENCER 9
QUELQUES TERMES DE CUISINE À CONNAÎTRE 10
TOUTES SORTES DE CHOCOLATS 14
LES BONS OUTILS 18
LE TEMPÉRAGE MODE D'EMPLOI 20
QUELQUES DÉCORS FACILES 24
GLAÇAGE SIMPLE AU CHOCOLAT NOIR 28
GANACHE ULTRASIMPLE 30
CRÈME AU BEURRE AU CHOCOLAT BLANC OU AU LAIT 32
SAUCE AU CHOCOLAT BLANC, AU LAIT OU NOIR 34
CHOCOLATE FUDGE SAUCE 36
CRÈME ANGLAISE AU CHOCOLAT NOIR OU BLANC 38
ACCORDS GOURMANDS 40

QUELQUES CONSEILS
AVANT DE COMMENCER

Avec le chocolat, cela vaut le coup de faire les choses dans les règles de l'art !
Soyez intransigeant sur la qualité du chocolat utilisé. Si vous devez absolument
l'acheter en grande surface, ne vous arrêtez pas aux produits bas de gamme,
achetez le meilleur. Essayez de trouver des produits pur beurre de cacao.
Le chocolat noir doit contenir plus de 60 % de cacao, le chocolat au lait plus de 30 %.
Laissez le chocolat très amer (au-dessus de 72 %) aux dégustations expérimentales.
Dites-vous bien que votre chocolat ne fondra jamais aussi bien, n'aura jamais la même
complexité, la même qualité d'arômes qu'un chocolat de couverture acheté chez un
chocolatier ou un confiseur, dans une épicerie fine ou chez un fournisseur pour professionnels.
Ne succombez pas au snobisme actuel sur le taux de cacao dans le chocolat.
Ce n'est pas parce qu'un chocolat contient 80 % de cacao qu'il sera meilleur dans
votre gâteau que celui qui n'en a que 64 %. Au contraire, ce dernier se mariera
certainement mieux aux autres ingrédients. Suivez toujours vos préférences.
Ne considérez plus le chocolat au lait et le chocolat blanc comme des sous-
produits, il en existe d'excellents. Ce sont des ingrédients délicieux, qui permettent
des mélanges et des mariages aussi raffinés que le chocolat noir.
Dans ce livre, j'essaye de ne pas donner trop de détails inutiles ni d'explications
intimidantes, mais il est très important de respecter les remarques pages 10 et 12.

QUELQUES TERMES DE CUISINE
À CONNAÎTRE

BEURRE EN POMMADE
Cela veut dire très mou, mais toujours homogène et pas fondu. Ceci est primordial pour bien le battre avec le sucre ou les œufs. Il faut le laisser se réchauffer à température ambiante. N'essayez pas de le passer au micro-ondes ou de le placer sur une surface chaude.

BEURRER/FARINER/CHEMISER LE MOULE
Mieux vaut le faire si cela est indiqué dans la recette, sinon ce sera à vos risques et périls !

CACAO EN POUDRE
Du non sucré et de bonne qualité. Tamisé, c'est mieux.

CRÈME FLEURETTE
Essayez d'acheter de la crème fraîche, la crème UHT n'a pas le même goût.

CRÈME FRAÎCHE
Comme pour tous les ingrédients, essayez de prendre la meilleure.

FAIRE FONDRE AU BAIN-MARIE OU AU MICRO-ONDES
J'ai la chance de pouvoir utiliser du chocolat de couverture qui fond très facilement au micro-ondes. Une règle de base : arrêtez souvent votre four et mélangez bien la préparation au fur et à mesure, surtout lorsqu'il faut faire fondre du beurre et/ou de la crème avec le chocolat. Si vous n'utilisez pas de chocolat de couverture, mieux vaut le tester avant au micro-ondes ou le faire fondre au bain-marie, surtout si c'est pour faire un enrobage ou des moulages. Attention à l'eau : ne la laissez pas bouillir pour ne pas brûler le chocolat ni le tacher avec de la vapeur.
Ne rajoutez jamais d'eau ni de corps gras en faisant fondre le chocolat si la recette ne le demande pas.

Tournez la page pour la suite...

QUELQUES TERMES DE CUISINE
À CONNAÎTRE

SUITE ET FIN

FARINE
Je prends de la farine à pâtisserie de type 65. Essayez toujours de la tamiser
(en même temps que la levure chimique et le cacao si la recette en comporte).

ŒUFS
De taille moyenne. Si vous les conservez au réfrigérateur,
essayez de laisser les blancs revenir à température
ambiante avant de les battre.

TAILLE DES MOULES
Cela peut tout changer. Essayez de respecter celle qui est indiquée.
Si vous tentez une expérience et que cela marche, faites-le-moi savoir !

TEMPS ET TEMPÉRATURE DE CUISSON
Ce ne sont que des indications. Surveillez toujours vos préparations quand
elles cuisent. Baissez de 10 °C environ si votre four est à chaleur tournante.

TOUTES SORTES
DE CHOCOLATS

Le chocolat est fait de pâte de cacao (mélange des extraits secs de la fève et du beurre de cacao), de beurre de cacao, de sucre et, dans le chocolat lacté, de lait en poudre. Le chocolat blanc ne contient pas d'extrait sec de la fève de cacao, seulement du beurre de cacao, du sucre et du lait en poudre. Les fabricants ajoutent aussi de la lécithine de soja ou de colza, un émulsifiant naturel. Les plus sérieux s'efforcent de n'utiliser que les produits garantis sans OGM. Un chocolat qui ne contient aucune autre graisse végétale que le beurre de cacao sera forcément meilleur en goût et en texture.

PASTILLES ET BLOCS DE CHOCOLAT DE COUVERTURE
Le chocolat de couverture est celui qu'utilisent les professionnels. Il est très riche en beurre de cacao le rendant fluide et facile à travailler et à tempérer. Sa grande qualité est due à la sélection soigneuse des fèves de cacao utilisées dans sa fabrication. Demandez-le chez votre chocolatier et dans les boutiques spécialisées.

COPEAUX DE CHOCOLAT TOUT FAITS
Les copeaux de chocolat tout faits que l'on trouve dans les épiceries fines et au rayon pâtisserie sont fabriqués dans un chocolat moins riche en beurre de cacao afin de durcir la matière et lui faire tenir sa forme. Ils sont très utiles. Essayez de trouver une marque de qualité.

Tournez la page pour la suite…

TOUTES SORTES
DE CHOCOLATS

ÉCLATS DE FÈVES DE CACAO

Ce sont les écorces de fèves broyées. Ils donnent un goût puissant de cacao
et un croquant intéressant en décor dans les nougatines, caramels, palets et tuiles.

PÉPITES DE CHOCOLAT

Fabriquées dans un chocolat moins riche en beurre de cacao qui permet
à la pépite de fondre et de reprendre presque sa forme après cuisson.
Utiles pour les cookies et les cakes.

LES BONS OUTILS

LES EMPORTE-PIÈCES
On en trouve de très sympas dans toutes les boutiques de cuisine pour découper
pâtes et biscuits. Les cylindriques s'utilisent en plus comme cercles pour empiler
les ingrédients et créer des couches (voir la recette du Banoffee page 178).

FEUILLE GUITARE
Plastique magique pour faire des décors (voir la recette page 26 pour en savoir plus).

MOULES ET TAPIS EN SILICONE
Une matière qui n'est plus réservée qu'aux pros. Vraiment génial, plus besoin de graisser
et tout se démoule comme un charme. Passe du congélateur au four à 300 °C.
Le tapis en silicone vous permet de faire des meringues, des biscuits et du caramel
comme un chef. (Mais ce n'est pas une matière pour faire des formes en chocolat.)

SPATULE COUDÉE
Parfait pour glacer des gâteaux et étaler le chocolat sur un marbre.

TRIANGLE
Outil pour faire des copeaux en chocolat. (Voir « Quelques décors faciles » page 24).

POCHE À DOUILLE
Celle-ci est jetable, donc aucun souci de lavage ni de séchage. Comme l'effet
recherché est lisse, pas besoin d'ajouter une douille. Pour les recettes, comme
le mille-feuille au chocolat blanc page 194 et les pruneaux à la ganache page 88,
un sac en plastique pour congélateur coupé dans un des coins fera l'affaire.

BROCHE À TREMPER
Le vrai outil du chocolatier professionnel pour enrober bonbons, fruits secs, truffes
et pâtes d'amandes. Léger et droit, très supérieur à la fourchette de table !

LE TEMPÉRAGE
MODE D'EMPLOI

Tempérer le chocolat est une technique qui lui permet de garder son brillant
et d'éviter les traces blanches du beurre de cacao au moment du moulage ;
ne pas le faire n'altère en rien son goût.
Quand vous achetez une plaquette, celle-ci brille. Si vous voulez lui donner une autre
forme et la retrouver aussi dure et brillante qu'au début, il faut, pour pouvoir la travailler,
la faire chauffer, la refroidir puis la réchauffer. La méthode la plus facile et la plus rapide
est celle des « 2 tiers/1 tiers ». Pour cela, il vaut mieux utiliser des pastilles de chocolat.

1. Armé d'un thermomètre de cuisine, faites chauffer les deux tiers au micro-ondes ou
au bain-marie sans ajouter d'eau ni de lait jusqu'à une température approchant les 45 °C.

2. Mélangez soigneusement et ajoutez le tiers du chocolat restant. Cela fera chuter
rapidement la chaleur.

Tournez la page pour la suite...

LE TEMPÉRAGE
MODE D'EMPLOI

3. Remuez jusqu'à ce que toutes les pastilles soient parfaitement fondues.

4. Réchauffez à une température d'environ 30 °C afin de pouvoir
le travailler (tuiles, moulages, décors…).

Si vous vous procurez du chocolat de couverture, les courbes de température
à respecter vous sont données dans le mode d'emploi.
Si tout cela vous paraît compliqué, c'est normal, n'oubliez pas qu'une formation
de chocolatier ou de pâtissier ne s'improvise pas ; mais équipé d'outils
et d'ingrédients appropriés, vous n'aurez aucune peine à suivre ces recettes.
Si pour une occasion particulière ou pour un dîner très chic, il vous faut un dessert
à la hauteur de l'événement, alors n'ayez aucun complexe à filer chez votre chocolatier
ou votre pâtissier commander un vrai ballotin ou un gâteau qui vous semble irréalisable.

QUELQUES DÉCORS FACILES

PETITS COPEAUX
La meilleure façon de les fabriquer est d'utiliser un économe sur une tablette
à température ambiante. Raclez simplement la surface du chocolat.

COPEAUX EN FORME DE CIGARETTES ET D'ÉVENTAILS
C'est un peu plus délicat puisqu'il faut couler le chocolat sur une surface
froide, le laisser refroidir mais pas trop. Un marbre est parfait.
Munissez-vous d'un triangle (voir page 18) et surtout faites des essais.
En raclant le chocolat d'un mouvement droit, vous ferez des cigarettes ;
en tournant légèrement vous obtiendrez des éventails. Il faut travailler
rapidement dès que le chocolat est à la bonne consistance.

CACAO EN POUDRE ET SUCRE GLACE
Incontournables et toujours aussi jolis. Surtout, utilisez un tamis bien fin.

BONBONS
Bon nombre de vos barres chocolatées préférées sont maintenant disponibles en éclats,
versions mini et autre *balls*. Ils donnent du croquant et un look peu classique mais rigolo.
(Si vous avez utilisé le meilleur chocolat pour réaliser vos gâteaux, je suis sûre
que le saint des Chocolats pardonnera cet écart du bon chemin de la qualité.)

Tournez la page pour la suite…

QUELQUES DÉCORS FACILES

LA FEUILLE GUITARE

Un des « trucs » de pro le plus remarquable que j'ai découvert est la feuille guitare.
Il s'agit d'un plastique spécial qui, posé sur une surface froide, permet au chocolat
une fois durci de se décoller comme par magie. De plus, le côté qui a été en contact
avec la feuille sera brillant, même si vous n'avez pas tempéré le chocolat (voir page 20).
La feuille guitare vous permettra de tordre des rubans de chocolat, de dessiner des formes
et des lettres et d'entourer vos gâteaux d'une bande de chocolat. De nombreux décors
de cet ouvrage tels que le gâteau « c'est moi qui l'ai fait » sont réalisés avec cet outil.
Les palets, mendiants, tuiles et fruits enrobés du chapitre « Bouchées et bonbons »
sont tous réalisables grâce à cette feuille.
Vous pouvez vous la procurer chez quelques spécialistes et les fournisseurs
pour professionnels. (Mais surtout ne le dites pas à tout le monde, sachez garder
ce petit secret pour vous.)

GLAÇAGE SIMPLE
AU CHOCOLAT NOIR

POUR UNE SURFACE DE 22 CM² ENVIRON – 2 MINUTES DE PRÉPARATION

200 g de chocolat noir
100 g de beurre
4 cuillerées à soupe d'eau

Faites fondre doucement tous les ingrédients au micro-ondes ou au bain-marie. Mélangez pour rendre le glaçage parfaitement lisse. Sur une feuille guitare ou sur une feuille de papier sulfurisé, posez une grille et le gâteau par-dessus. Glacez-le en répartissant la préparation légèrement refroidie.

GANACHE
ULTRASIMPLE

POUR L'INTÉRIEUR ET LE DESSUS D'UN GÂTEAU DE 22 CM DE DIAMÈTRE ENVIRON - 5 MINUTES DE PRÉPARATION

300 g de chocolat noir
300 g de crème fleurette

Portez la crème à ébullition et versez-la sur le chocolat. Laissez la crème faire fondre un peu le chocolat puis remuez afin d'obtenir un mélange lisse et brillant. Placez la ganache une dizaine de minutes au réfrigérateur. Une fois refroidie, fouettez-la avec un batteur électrique jusqu'à ce que vous obteniez un mélange mousseux.
Appliquez la ganache à l'aide d'une spatule.

CRÈME AU BEURRE
AU CHOCOLAT BLANC OU AU LAIT

POUR L'INTÉRIEUR ET LE DESSUS D'UN GÂTEAU DE 22 CM DE DIAMÈTRE ENVIRON - 5 MINUTES DE PRÉPARATION

250 g de chocolat blanc ou au lait
100 g de beurre en pommade
5 cuillerées à soupe de mascarpone
2 cuillerées à soupe de sucre glace

Faites fondre le chocolat blanc
au micro-ondes ou au bain-marie.
Fouettez le beurre et le mascarpone avec
un batteur électrique. Ajoutez le chocolat fondu
puis le sucre glace en fouettant jusqu'à ce que
le mélange soit bien mousseux.

SAUCE AU CHOCOLAT BLANC,
AU LAIT OU NOIR

POUR 6 PERSONNES - 5 MINUTES DE PRÉPARATION

20 cl de crème fleurette
200 g de chocolat blanc
ou 150 g de chocolat au lait ou noir
10 cl de lait entier

Portez à ébullition la crème et le lait.
Versez-les sur le chocolat, remuez bien.
Servez chaud ou laissez refroidir.

CHOCOLATE FUDGE
SAUCE

POUR 6 PERSONNES · 5 MINUTES DE PRÉPARATION

200 g de cassonade
50 g de beurre
300 g de crème fleurette
180 g de chocolat noir

Faites chauffer le beurre, la crème et la cassonade jusqu'à ce que cette dernière soit complètement dissoute. Ajoutez le chocolat et remuez pour le faire fondre. Laissez refroidir avant de servir.

Pour une variante chocolat-café, faites dissoudre 2 cuillerées à café de café soluble dans la crème avant d'ajouter le chocolat noir.

CRÈME ANGLAISE
AU CHOCOLAT NOIR OU BLANC

POUR 6 À 8 PERSONNES · 5 MINUTES DE PRÉPARATION · 5 MINUTES DE CUISSON · 2 HEURES DE REPOS

50 cl de lait entier
5 jaunes d'œufs
60 g de sucre
60 g de chocolat noir
ou 100 g de chocolat blanc
40 g de sucre supplémentaires
(facultatif)
1 gousse de vanille (facultatif)

Mettez le lait à chauffer, sans le laisser bouillir.
Battez les jaunes d'œufs avec le sucre jusqu'à
ce que le mélange blanchisse et double de volume.
Versez le lait frémissant sur les jaunes tout en remuant.
Remettez la crème sur un feu assez vif en tournant
sans cesse.
Faites cuire jusqu'à ce que la crème soit assez
épaisse pour napper le dos de la cuillère
et qu'une trace s'y imprime lorsque vous y faites
une marque avec le doigt.
Faites fondre le chocolat dans la crème et remuez.
Laissez refroidir.

*Pour une crème anglaise classique, ajoutez au lait une gousse
de vanille et mettez 100 g de sucre au lieu de 60 g.*

ACCORDS GOURMANDS

LES AGRUMES ET LES FRUITS ROUGES

L'amertume des agrumes s'accorde bien avec le chocolat. Quant à certains fruits rouges, ils semblent avoir été créés tout spécialement pour se marier avec le chocolat. Les framboises et les cassis viennent tout de suite à l'esprit, mais essayez aussi les groseilles, les airelles, les myrtilles, les cerises et les mûres pour changer un peu. Inutile de les cuisiner lorsqu'ils sont de saison (à l'exception des airelles). Voici un accompagnement qui fera de vos gâteaux, mousses, tartes, etc. les plus simples des desserts dignes des dîners les plus chics.

AIRELLES
AUX ZESTES D'ORANGE

POUR 6 PERSONNES · 5 MINUTES DE CUISSON

250 g d'airelles fraîches
ou surgelées
75 g de sucre
2 à 3 cuillerées à soupe d'eau
le zeste d'une petite orange

Mettez les airelles avec l'eau et le sucre dans une casserole et faites cuire pendant 5 minutes environ. Les airelles rendront du jus mais la plupart d'entre elles resteront entières. Ajoutez le zeste, un peu plus de sucre si le goût est trop acide, et laissez refroidir. Servez en accompagnement de pavés ou de gâteaux au chocolat noir.

Les gâteaux au chocolat ♥

LES MEILLEURS BROWNIES..44

GÂTEAU TRÈS LÉGER 46

GÂTEAU AUX AMANDES ET AU CHOCOLAT NOIR 48

MI-CUIT 50

LE GÂTEAU AU CHOCOLAT FONDANT DE NATHALIE 52

GÂTEAU TRÈS RICHE SANS FARINE NI BATTEUR 54

TRIPLE CHOC BROWNIE CRUNCH..56

GÂTEAU AUX NOISETTES ET AU CHOCOLAT BLANC................60

GÂTEAU RICHE AU CHOCOLAT AU LAIT, AUX DATTES ET AUX AMANDES....62

LE GÂTEAU INDÉMOULABLE DE JEAN-FRANÇOIS 64

LE GÂTEAU AUX PETIT BEURRE LU® D'EMMANUELLE 66

PAVÉ AU CHOCOLAT ET AUX MARRONS GLACÉS 68

PAVÉ AUX TROIS CHOCOLATS..70

LE PAVÉ AU CHOCOLAT DE VIRGINIE...................................72

LES MEILLEURS
BROWNIES

POUR 10 BROWNIES ENVIRON - 10 MINUTES DE PRÉPARATION - 30 MINUTES DE CUISSON

Un des gâteaux les plus connus et les plus appréciés aux États-Unis.
Oubliez définitivement les horribles « mix » et kits et faites-les vous-même
avec du vrai chocolat.

225 g de sucre
120 g de chocolat noir
90 g de beurre
2 œufs battus
90 g de farine
50 g de noisettes ou de noix
de macadamia grillées
et concassées,
ou des noix de pécan
concassées

Faites chauffer le four à 180 °C.
Beurrez un moule carré d'environ 20 cm
de côté ou un plat à gratin rectangulaire
qui aurait à peu près la même capacité.
Faites fondre le beurre et le chocolat au micro-ondes
ou au bain-marie et laissez refroidir légèrement.
Ajoutez-y les œufs battus puis le sucre et la farine.
Mélangez rapidement mais avec délicatesse,
puis incorporez les noisettes. Versez dans le moule
et faites cuire pendant 30 minutes environ.
Le dessus doit être croustillant et l'intérieur moelleux.
Laissez refroidir un peu avant de démouler.
Dégustez encore chaud avec de la glace
à la vanille ou de la crème fraîche.

Vous pouvez aussi en faire un dessert en découpant des disques avec un emporte-pièce. Servez après avoir versé de la sauce au chocolat (voir la recette page 34) sur la boule de glace posée sur le brownie.

GÂTEAU
TRÈS LÉGER

POUR 8 PERSONNES - 5 MINUTES DE PRÉPARATION - 25 MINUTES DE CUISSON

C'est une recette de *sponge cake* (gâteau éponge) de mon enfance en Irlande. Mes enfants apprécient beaucoup cette génoise très légère.

225 g de beurre très mou
ou de margarine
225 g de sucre
4 œufs
225 g de farine
4 cuillerées à soupe de cacao
en poudre mélangées à 4 cuillerées
à soupe d'eau chaude
2 cuillerées à café de levure
chimique

Faites chauffer le four à 180 °C.
Beurrez et farinez deux moules à manqué.
Mettez tous les ingrédients dans un saladier
et fouettez au batteur électrique jusqu'à l'obtention
d'un mélange bien homogène. Versez dans
les deux moules et faites cuire 25 minutes.
Le dessus du gâteau doit être moelleux sous le doigt.
Sortez du four, laissez refroidir quelques minutes
puis démoulez sur une grille.
Garnissez avec de la crème fleurette fouettée
ou, comme en Irlande, avec une crème
au beurre (voir la recette page 32).

VARIANTES
Pour une génoise au café, en remplacement
du mélange cacao + eau, faites dissoudre
2 cuillerées à soupe de café instantané dans
les œufs battus avant de les rajouter au reste
du mélange. Garnissez avec une crème au chocolat
ou une crème au beurre (voir la recette page 32).
Pour une génoise nature, oubliez le cacao
et l'eau. Garnissez avec une crème au chocolat
(voir la recette page 30) ou une crème au beurre
au chocolat (voir la recette page 32).

GÂTEAU AUX AMANDES
ET AU CHOCOLAT NOIR

POUR 8 PERSONNES - 20 MINUTES DE PRÉPARATION - 1 HEURE DE CUISSON ENVIRON

Une génoise moelleuse et riche, qui n'a pas tellement besoin de glaçage. Jouez avec des saveurs et épices qui vont bien avec les amandes, le gingembre, la vanille, la cardamome.

200 g de chocolat noir
100 g de beurre très mou
4 œufs, blancs et jaunes séparés
200 g de sucre
75 g de farine
100 g d'amandes en poudre
1 ½ cuillerée à café de levure chimique

Préchauffez le four à 160 °C.
Faites fondre le chocolat avec le beurre au micro-ondes, remuez pour lisser, ajoutez le sucre, mélangez et laissez refroidir un peu avant de rajouter les jaunes d'œufs.
Ajoutez la farine, les amandes en poudre, puis la levure, mélangez.
Montez les blancs en neige ferme et incorporez-les en 2 temps à la pâte au chocolat.
Versez dans un moule à manqué et faites cuire 1 heure environ afin que le dessus rebondisse lorsque vous le testez avec votre doigt.
Sortez du four et laissez le gâteau refroidir sur une grille.
Emballez-le bien et laissez-le reposer 1 nuit avant de le couper et de le servir.

Comme sur la photo, vous pouvez aussi le couvrir d'un glaçage (voir la recette page 28) et d'une crème au beurre à l'intérieur (voir la recette page 32).

MI-CUIT

POUR 2 PERSONNES - 5 MINUTES DE PRÉPARATION - 12 MINUTES (PRÉCISÉMENT) DE CUISSON - 10 MINUTES DE REPOS

J'ai pendant longtemps, très longtemps, évité de cuisiner le très célèbre gâteau mi-cuit. Pour moi, tout ce qui demande un timing si précis n'est que source d'angoisse. J'ai finalement succombé, avec succès, un soir où nous n'étions que deux. Cette version de la célèbre création de Michel Bras est très facile à réaliser !

2 cuillerées à café de cacao en poudre
50 g de bon chocolat noir
50 g de beurre doux
1 œuf
1 jaune d'œuf
60 g de sucre
50 g de farine

Préchauffez le four à 160 °C.
Beurrez des ramequins. Saupoudrez l'intérieur de cacao pour que les fondants ne collent pas, et secouez pour enlever l'excédent.
Faites fondre le chocolat et le beurre dans un petit saladier, au bain-marie ou au micro-ondes, et remuez jusqu'à ce que le mélange soit bien lisse. Laissez refroidir 10 minutes. Battez l'œuf, le jaune d'œuf et le sucre au batteur électrique jusqu'à ce que le mélange blanchisse et devienne bien crémeux.
Ajoutez le mélange chocolat-beurre.
Tamisez la farine au-dessus de la pâte, puis incorporez-la à l'aide d'une cuillère en métal, en soulevant doucement la pâte.
Versez le mélange dans les ramequins et enfournez pendant 12 minutes.
Démoulez les fondants sur des assiettes chaudes et servez avec de la glace à la vanille ou de la crème fraîche.

LE GÂTEAU AU CHOCOLAT
FONDANT DE NATHALIE

POUR 6 À 8 PERSONNES - 5 MINUTES DE PRÉPARATION - 22 MINUTES DE CUISSON - À PRÉPARER LA VEILLE SI POSSIBLE

À la suite des nombreux commentaires enthousiastes suscités par cette recette (y compris de la part des chefs pâtissiers les plus connus), elle est devenue l'un de mes classiques.

200 g de bon chocolat noir
200 g de beurre
5 œufs
1 cuillerée à soupe de farine
250 g de sucre

Préchauffez le four à 190 °C.
Faites fondre ensemble, au micro-ondes ou au bain-marie, le chocolat et le beurre.
Ajoutez le sucre et laissez refroidir un peu.
Ajoutez un à un les œufs, en remuant bien avec une cuillère en bois après chaque nouvel œuf ajouté.
Enfin, incorporez la farine et lissez bien le mélange.
Versez dans un moule à manqué et faites cuire pendant 22 minutes. Le gâteau doit être encore tremblotant au milieu.
Sortez du four, démoulez rapidement, puis laissez refroidir et reposer.

N'oubliez pas de faire ce gâteau la veille pour le lendemain, ou le matin pour le soir si vous recevez le week-end.

GÂTEAU TRÈS RICHE
SANS FARINE NI BATTEUR

POUR 8 À 10 PERSONNES - 15 MINUTES DE PRÉPARATION - 45 MINUTES DE CUISSON - À PRÉPARER LA VEILLE SI POSSIBLE

Vous n'aurez besoin que d'un bol, un saladier, une fourchette
et un moule à manqué pour réaliser ce gâteau dense et riche !

430 g de beurre
430 g de chocolat noir
8 œufs
180 g de sucre
30 cl de crème fleurette

Faites chauffer le four à 180 °C.
Beurrez un moule. Faites fondre le beurre, la crème
et le chocolat au micro-ondes ou au bain-marie.
Ajoutez le sucre et remuez bien pour qu'il se dissolve.
Dans un grand bol, battez légèrement les œufs
avec un fouet ou une fourchette, puis ajoutez-les
au mélange chocolaté. Remuez bien afin que
la consistance du mélange soit homogène.
Versez dans le moule et faites cuire 40 minutes environ.
Laissez refroidir dans le moule posé sur une grille.
Lorsque le gâteau est refroidi, démoulez-le et emballez-le
bien avant de le laisser reposer une nuit au réfrigérateur.
Vous pouvez le glacer ou le saupoudrer de cacao
en poudre et/ou de sucre glace.

TRIPLE CHOC
BROWNIE CRUNCH

POUR 8 PERSONNES - 30 MINUTES DE PRÉPARATION - 30 MINUTES DE CUISSON - 3 HEURES DE RÉFRIGÉRATION

LA MOUSSE AU CHOCOLAT BLANC
15 cl de crème fleurette
200 g de chocolat blanc

LE BROWNIE
2 œufs
90 g de beurre
120 g de chocolat noir
225 g de sucre
90 g de farine
50 g de noisettes ou de noix de
macadamia grillées et concassées,
ou de noix de pécan concassées

LA SAUCE AU CHOCOLAT AU LAIT
20 cl de crème fleurette
10 cl de lait entier
150 g de chocolat au lait

LA MOUSSE AU CHOCOLAT BLANC

Faites chauffer la crème et versez-la
sur le chocolat coupé en tout petits morceaux.
Remuez bien jusqu'à ce que le chocolat soit
fondu ; le mélange doit être lisse et brillant.
Laissez refroidir 1 heure, puis fouettez
à l'aide d'un batteur électrique.

LE BROWNIE

Préchauffez le four à 180 °C. Beurrez un moule
carré de 20 cm de côté ou un plat à gratin.
Battez les œufs. Faites fondre le beurre et le chocolat
au micro-ondes ou au bain-marie et laissez refroidir.
Ajoutez-y les œufs battus, puis le sucre et la farine.
Mélangez rapidement mais délicatement, puis
incorporez les noisettes ou les noix. Versez dans
le moule et faites cuire pendant 30 minutes environ.
Le dessus doit être croustillant et l'intérieur moelleux.

LA SAUCE AU CHOCOLAT AU LAIT

Portez à ébullition la crème et le lait. Versez-les
sur le chocolat coupé en tout petits morceaux,
remuez bien. Servez chaud ou laissez refroidir.

Tournez la page pour la suite de la recette...

TRIPLE CHOC
BROWNIE CRUNCH

SUITE ET FIN DE LA RECETTE

LE MONTAGE

Lorsque le brownie est complètement refroidi, étalez une couche de mousse au chocolat blanc et laissez prendre au réfrigérateur pendant 2 ou 3 heures au minimum. Pour servir, découpez le brownie et versez dessus la sauce au chocolat au lait. Parsemez de vos barres chocolatées habituelles. La plupart de ces barres croquantes existent maintenant sous forme de bonbons.

GÂTEAU AUX NOISETTES
ET AU CHOCOLAT BLANC

POUR 6 À 8 PERSONNES - 15 MINUTES DE PRÉPARATION - 30 MINUTES DE CUISSON

5 blancs d'œufs
100 g de beurre salé fondu
80 g de noisettes en poudre
Quelques noix de pécan
pour le décor
100 g de chocolat blanc
150 g de sucre
75 g de farine

Battez les blancs d'œufs en neige. Ajoutez
les noisettes en poudre et le sucre en mélangeant
délicatement. Ajoutez la farine, puis le beurre fondu.
Mettez le mélange dans un moule beurré et faites
cuire au four (200 °C) pendant 15 minutes. Baissez
le four à 150 °C et laissez cuire encore 10 minutes
environ. Sortez du four, laissez refroidir un peu avant
de démouler, puis laissez refroidir complètement.
Faites fondre le chocolat puis faites-le couler
sur le gâteau et sur les noix de pécan.
Laissez durcir avant de servir.

GÂTEAU RICHE AU CHOCOLAT
AU LAIT, AUX DATTES
ET AUX AMANDES

POUR 8 À 10 PERSONNES - 15 MINUTES DE PRÉPARATION - 50 MINUTES DE CUISSON

Un gâteau délicieux, où le goût tout en douceur du chocolat au lait
se combine avec celui des dattes et des amandes. Vous pouvez
remplacer les amandes par des noisettes, encore plus savoureuses.

250 g de bon chocolat au lait
3 jaunes d'œufs
3 œufs
125 g de cassonade
175 g d'amandes en poudre
100 g d'amandes entières grillées
et concassées
175 g de beurre
150 g de dattes *medjool* hachées

Beurrez un moule à manqué et chemisez le fond
d'un cercle de papier sulfurisé beurré.
Faites chauffer le four à 170 °C.
Faites fondre le beurre et le chocolat au micro-ondes
ou au bain-marie. Battez les 3 œufs entiers, la cassonade
et les jaunes d'œufs jusqu'à ce que la préparation
blanchisse et épaississe. Ajoutez la poudre d'amandes,
les amandes et les dattes, puis mélangez bien.
Incorporez la préparation beurre-chocolat. Versez dans
un moule à manqué et faites cuire pendant 50 minutes
environ. Laissez refroidir avant de démouler.
Servez avec de la crème fraîche et des copeaux
de chocolat au lait.

*Si vous ne trouvez pas de dattes medjool, faites pocher des dattes
dans de l'eau et du sucre pendant 3 minutes.*

LE GÂTEAU INDÉMOULABLE
DE JEAN-FRANÇOIS

POUR 8 À 10 PERSONNES - 10 MINUTES DE PRÉPARATION - 20 MINUTES DE CUISSON

Ce gâteau est un pur délice et le fait qu'il soit indémoulable supprime tout souci de présentation ou de décorum. Vous n'aurez pas souvent l'occasion d'encourager tout le monde à manger en même temps dans le plat !

250 g de chocolat noir
250 g de beurre
6 œufs, blancs et jaunes séparés
250 g de sucre

Faites chauffer le four à 190 °C.
Faites fondre le chocolat et le beurre au micro-ondes.
Battez les jaunes d'œufs et le sucre jusqu'à ce que le mélange blanchisse. Mélangez les 2 préparations. Montez les blancs en neige et incorporez-les délicatement au mélange chocolaté. Versez dans un moule et faites cuire pendant 20 minutes environ. Le gâteau va monter puis retomber, laissant une croûte surélevée sur les bords. Servez dans le moule, un peu tiède si vous êtes pris par le temps.

LE GÂTEAU AUX PETIT BEURRE LU®
D'EMMANUELLE

POUR 8 PERSONNES - 15 MINUTES DE PRÉPARATION - 6 HEURES DE RÉFRIGÉRATION

L'ingrédient vedette de ce gâteau, qui est l'un des biscuits favoris des enfants, remporte également tous les suffrages des adultes. À couper en tranches extra fines.

18 biscuits Petit Beurre LU®
40 g de meringues
100 g de chocolat noir
300 g de beurre
2 œufs légèrement battus
150 g de sucre
50 g de cacao

Cassez en petits morceaux les biscuits et les meringues, avec les doigts. Ne réduisez surtout pas en poudre : il faut des morceaux inégaux de 1 cm environ. Faites fondre le chocolat et le beurre au micro-ondes ou au bain-marie, puis laissez refroidir. Ajoutez les œufs, un sucre et le cacao ; mélangez bien. Tapissez le moule de film alimentaire et versez-y la préparation, en tassant un peu. Placez au réfrigérateur pendant 6 heures minimum, voire toute une nuit si possible ! Servez le gâteau avec de la crème fouettée, par exemple.

PAVÉ AU CHOCOLAT
ET AUX MARRONS GLACÉS

POUR 8 PERSONNES - 10 MINUTES DE PRÉPARATION - 5 À 6 HEURES DE RÉFRIGÉRATION AU MINIMUM

1 boîte de 500 g de crème
de marrons
150 g de beurre ramolli
300 g de chocolat noir
3 ou 4 cuillerées à soupe de Baileys
ou 2 à 3 de rhum, cognac, etc.
(facultatif)
Quelques marrons glacés
Un peu de crème fraîche ou
de mascarpone pour servir
au dernier moment

Tapissez de film alimentaire le fond d'un moule
à manqué pour un gâteau rond, d'un moule à cake
si vous voulez obtenir des tranches fines.
Malaxez la crème de marrons avec le beurre
en pommade et l'alcool – si vous l'utilisez –
afin d'obtenir un mélange homogène.
Faites fondre le chocolat au bain-marie ou
au micro-ondes. Mélangez les deux préparations,
versez ans le moule choisi – en remplissant bien
tous les coins, dans le cas du moule à cake –
et laissez au réfrigérateur toute la nuit si possible.
Servez avec des marrons glacés entiers ou
en brisures, de la crème fraîche ou du mascarpone
pour donner une touche d'acidité.

PAVÉ
AUX TROIS CHOCOLATS

POUR 10 PERSONNES · 15 MINUTES DE PRÉPARATION · 5 HEURES DE REPOS

250 g de chocolat noir
275 g de chocolat au lait
300 g de chocolat blanc
20 + 20 + 15 cl de crème fleurette

Chemisez un moule de film alimentaire
s'il n'est pas en silicone.
Vous devrez réaliser les couches en trois fois.
Mettez les trois sortes de chocolats dans trois
bols séparés. Divisez la crème en trois parties
(comme dans la liste des ingrédients).
Portez 20 cl de crème à ébullition et versez-la
sur le chocolat noir en lissant bien le mélange.
Versez le mélange dans le moule et placez
au réfrigérateur jusqu'à ce qu'il durcisse.
Répétez l'opération pour le chocolat au lait.
Vous verserez le mélange crème + chocolat au lait
sur la première couche de chocolat noir.
Finissez avec le chocolat blanc avec seulement 15 cl
de crème et placez le moule au réfrigérateur ou
au congélateur si vous voulez servir ce pavé glacé.

LE PAVÉ AU CHOCOLAT
DE VIRGINIE

POUR 6 PERSONNES - 15 MINUTES DE PRÉPARATION - 5 À 6 HEURES DE RÉFRIGÉRATION

Comme le gâteau de Nathalie, cette recette a eu tellement
de succès qu'il m'est impossible de ne pas l'inclure dans ce livre.
Un grand classique qui fait toujours beaucoup d'effet.

400 g de chocolat amer
125 g de beurre
4 jaunes d'œufs
75 g de sucre glace
50 cl de crème fleurette fouettée

Faites fondre le chocolat et le beurre
au micro-ondes ou au bain-marie.
Battez les jaunes d'œufs et le sucre glace
jusqu'à ce que le mélange blanchisse. Mélangez
les 2 préparations avec un fouet, puis ajoutez
délicatement la crème. Tapissez un moule à terrine
de film alimentaire et versez-y le mélange.
Laissez au réfrigérateur pendant 5 à 6 heures.

Vous pouvez servir le pavé avec de la sauce au chocolat (voir la recette page 34).

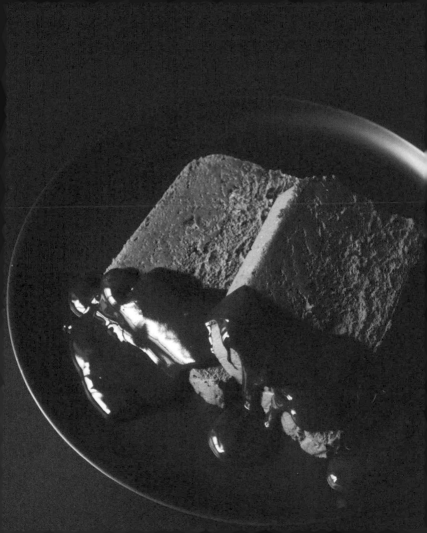

Bouchées et bonbons ♥

ORANGETTES..76

TUILES..78

PETITS SUJETS MOULÉS...80

TRUFFES..84

TRUFFES CHOCOLAT BLANC – THÉ VERT.............................86

PRUNEAUX TRUFFÉS À LA GANACHE.................................88

MENDIANTS..90

PALETS..92

ROCHERS...94

TOP HATS HAUTS-DE-FORME GOURMANDS.........................96

NOUNOURS ENDORMIS...98

ORANGETTES

POUR 30 PIÈCES ENVIRON · 30 MINUTES DE PRÉPARATION

125 g de bon chocolat noir
100 g d'aiguillettes d'oranges
confites

Faites fondre le chocolat au micro-ondes
ou au bain-marie.
Trempez une aiguillette à la fois dans
le chocolat, enrobez-la bien, égouttez-la
et posez-la sur une feuille guitare
ou de papier sulfurisé.
Laissez refroidir.

TUILES

POUR 20 PIÈCES ENVIRON - 30 MINUTES DE PRÉPARATION - 30 MINUTES À 1 HEURE DE REPOS

200 g de bon chocolat
(noir, blanc ou au lait)
1 cuillerée à soupe de noisettes
ou d'amandes hachées et grillées
ou d'éclats de fèves de cacao

Faites fondre le chocolat au micro-ondes
ou au bain-marie, puis mélangez-y les amandes,
les noisettes ou les éclats de fèves.
Formez des disques très fins sur la feuille guitare,
par rangées de quatre.
Quand le chocolat commence à se figer sans durcir,
découpez avec une paire de ciseaux des bandes dans
la feuille guitare, et posez-les sur une gouttière à tuiles.
Laissez durcir complètement, retournez les tuiles
et retirez délicatement la feuille guitare.

PETITS SUJETS MOULÉS

POUR 50 PETITS SUJETS · 10 MINUTES DE PRÉPARATION · 30 MINUTES À 1 HEURE DE REPOS ENVIRON

Dans cette recette plus encore que dans les autres, la qualité du chocolat est la clé du succès. Le chocolat de couverture, riche en beurre de cacao, est parfait pour tous les moulages, petits ou grands.

300 g de bon chocolat

LE MOULAGE

Faites fondre le chocolat au micro-ondes ou au bain-marie.
Versez dans un moule à petits sujets et remplissez-les tous. Répartissez bien le chocolat en tapant le bord du moule pendant quelques secondes pour faire remonter toutes les bulles d'air : elles formeraient des petits trous à la surface des sujets démoulés. Raclez le chocolat excédentaire au-dessus d'une feuille guitare ou d'un saladier. Veillez à ne pas laisser de chocolat entre les sujets : cela rendrait le démoulage plus difficile et leurs contours ne seraient pas nets.

LA PRISE DU CHOCOLAT

Laissez refroidir à température ambiante pendant quelques minutes, puis mettez le moule dans un endroit frais ou au réfrigérateur pendant 30 minutes à 1 heure.

Tournez la page pour la suite de la recette…

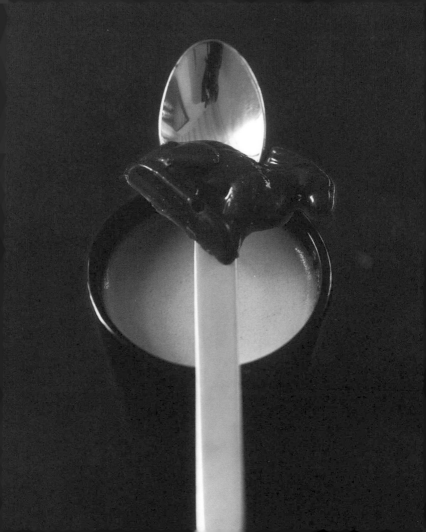

PETITS SUJETS MOULÉS

SUITE ET FIN DE LA RECETTE

LE DÉMOULAGE

Vous pourrez démouler quand le chocolat se sera
rétracté des bords. Pour procéder au démoulage,
tordez légèrement le moule comme vous le feriez
pour un bac à glaçons. Si le chocolat se décolle
en émettant un petit bruit, vous pouvez retourner
doucement le moule et faire sortir les sujets.
Si vous n'entendez rien, remettez le moule au
réfrigérateur pendant une vingtaine de minutes.

Si vous avez tempéré le chocolat, les sujets resteront brillants, sinon ils risquent de se ternir
au bout de 24 heures ; mais d'ici là, ils seront peut-être mangés ! Utilisez le chocolat
en excédent pour confectionner un gâteau, une mousse ou un chocolat chaud.

TRUFFES

POUR 30 À 40 TRUFFES - 5 MINUTES DE PRÉPARATION - 2 HEURES DE REPOS

LA GANACHE
450 g de bon chocolat
25 cl de crème fleurette fraîche

LA DÉCO
Poudre de cacao
Noisettes ou amandes grillées
en poudre
Éclats de fèves de cacao
Chocolat noir ou blanc râpé

Portez la crème à ébullition et versez-la sur le chocolat
en pastilles, râpé ou coupé en tout petits morceaux.
Mélangez doucement avec une cuillère. Laissez refroidir.
Formez des petites boules avec les doigts et enrobez-les
de chocolat blanc, noir, de poudre de cacao, d'éclats
de fèves de cacao, de noisettes ou d'amandes grillées.

TRUFFES
CHOCOLAT BLANC – THÉ VERT

POUR 25 TRUFFES ENVIRON · 10 MINUTES DE PRÉPARATION · 2 HEURES DE RÉFRIGÉRATION

LA GANACHE
300 g de chocolat blanc
75 ml de crème fleurette fraîche

LA DÉCO
400 g de chocolat blanc
Thé vert matcha en poudre

LA GANACHE

Portez la crème à ébullition puis versez sur le chocolat.
Lissez, laissez refroidir et durcir quelques heures
au réfrigérateur.
Prenez de petites quantités de ganache refroidie
et roulez-les entre les paumes de vos mains.

LA DÉCO

Faites fondre le chocolat blanc.
Faites tomber les truffes dans le chocolat fondu,
puis posez-les sur une grille comme sur la photo.
Laissez durcir quelques minutes avant de les faire rouler
et de former des petites piques. Parsemez de poudre
de thé vert matcha et laissez durcir complètement.

PRUNEAUX TRUFFÉS
À LA GANACHE

POUR 6 PERSONNES · 10 MINUTES DE PRÉPARATION · 10 MINUTES DE REPOS

Le mélange chocolat-pruneaux est remarquable et fait ressortir l'arôme de réglisse des fruits. Une petite friandise à servir en dessert au déjeuner, ou bien avec le café si le dessert a été vraiment très raisonnable.

15 cl de crème fleurette
150 g de chocolat noir
12 ou 18 pruneaux d'Agen
dénoyautés

Portez la crème à ébullition et versez-la sur le chocolat coupé en morceaux. Laissez la crème faire fondre un peu le chocolat, puis remuez afin d'obtenir un mélange lisse et brillant. Fouettez ensuite au batteur électrique jusqu'à ce que le mélange soit mousseux et froid. Ouvrez les pruneaux en forme de papillon. Remplissez une poche à douille de ganache et déposez-en un bon trait à l'intérieur de chaque pruneau, puis refermez sans trop appuyer.

Enrobez les pruneaux de 300 g de chocolat noir fondu. Vous pouvez aussi ajouter 1 ou 2 cuillerées d'armagnac à la ganache.

MENDIANTS

POUR 25 PIÈCES ENVIRON · 30 MINUTES DE PRÉPARATION · 1 HEURE DE REPOS

125 g de chocolat noir
20 g de raisins secs
15 g de pistaches vertes
30 g d'amandes émondées
50 g d'aiguillettes d'oranges
confites

Posez une feuille guitare ou de papier sulfurisé sur
un marbre ou une surface froide et lisse. Faites fondre
le chocolat au micro-ondes ou au bain-marie.
Déposez sur la feuille 1 petite cuillerée à café
de chocolat fondu et étalez-le en disque avec le dos
de la cuillère. Faites-en plusieurs à la suite pour éviter
que le chocolat ne refroidisse trop vite. Sur chaque
palet, posez 1 grain de raisin, 1 pistache, 1 amande et
½ aiguillette d'orange, et laissez refroidir complètement.
Les mendiants sont prêts lorsqu'ils se décollent
facilement du papier.

PALETS

POUR 400 G · 10 MINUTES DE PRÉPARATION · 30 MINUTES À 1 HEURE DE REPOS

250 g de chocolat
200 g de noisettes, amandes…

Faites fondre le chocolat au micro-ondes ou au bain-marie. Ajoutez les fruits secs au chocolat, tout en remuant délicatement. Déposez, sur une feuille guitare, des petits tas du mélange chocolaté. À l'aide du dos d'une cuillère à soupe, tassez un peu afin de former des petits cercles. Laissez durcir à température ambiante.

ROCHERS

POUR 20 PIÈCES ENVIRON - 40 MINUTES DE PRÉPARATION

110 g d'amandes en bâtonnets
2 cuillerées à soupe de sirop
de sucre
1 cuillerée à soupe de sucre glace
135 g de bon chocolat noir
ou au lait

Préchauffez le four à 180 °C.
Mélangez les amandes avec le sirop de sucre et
formez des petits tas sur une plaque antiadhésive allant
au four. Parsemez de sucre glace et laissez griller
et caraméliser 2 à 3 minutes au four. Laissez refroidir.
Faites fondre le chocolat au micro-ondes
ou au bain-marie et trempez-y les rochers,
un par un, avant de les poser sur une feuille guitare
ou du papier sulfurisé.

TOP HATS
HAUTS-DE-FORME GOURMANDS

POUR 20 PIÈCES ENVIRON - 30 MINUTES DE PRÉPARATION ET DE REPOS - 3 MINUTES DE CUISSON

Dans mon enfance, pas un goûter d'anniversaire sans ces petites fantaisies.

Une vingtaine de petites caissettes en papier
1 paquet de bonbons au chocolat de couleur
1 paquet de chamallows
300 g de chocolat noir ou au lait

Faites fondre le chocolat au bain-marie ou au micro-ondes. Versez une cuillerée à café de chocolat dans chaque caissette et plongez-y un chamallow à mi-hauteur. Placez une goutte de chocolat sur le dessus de chaque chamallow et collez-y un bonbon. Laissez refroidir.

NOUNOURS ENDORMIS

POUR UNE DOUZAINE DE NOUNOURS - 15 MINUTES DE PRÉPARATION - 45 MINUTES DE REPOS - 2 MINUTES DE CUISSON

Attention, cette recette connaît pas mal de succès. Si des adultes traînent par là, prévoyez des quantités doubles !

12 caissettes en papier
de 4 ou 5 cm de diamètre
150 g de chocolat (noir, blanc
ou au lait)
Une douzaine de nounours
au chocolat (choisissez les moins
écrasés !)
4 ou 5 poignées de céréales
de votre placard

Faites fondre le chocolat et mélangez-le avec les céréales. À l'aide d'une cuillère à café, faites tomber un peu du mélange dans chaque caissette et aplatissez-le avant d'y coller un nounours, son dos sur le chocolat. Laissez durcir le chocolat.

Goûters
au
chocolat

CHOCOLAT CHAUD **102**
COOKIES AUX FLOCONS D'AVOINE **104**
COOKIES PISTACHE ET SIROP D'ÉRABLE **106**
COOKIES : LES CLASSIQUES **108**
PUITS GOURMANDS... **110**
COOKIES AUX DEUX CHOCOLATS ET BEURRE DE CACAHUÈTE **112**
BISCOTTI **114**
FLORENTINS (OU PRESQUE !) **116**
SHORTBREAD AU CHOCOLAT... **118**
SHORTBREAD AUX PISTACHES ET AU GINGEMBRE **120**
MADELEINES AU CHOCOLAT ET AU MIEL **122**
MUFFINS AU CHOCOLAT.. **124**
CUPCAKES **126**
GRANOLA AU CHOCOLAT **128**
SANDWICH CHAUD **130**
CAKE AU CHOCOLAT, AUX NOISETTES ET AUX AMANDES **132**
CARRÉS AUX MARSHMALLOWS ET AU CHOCOLAT BLANC **134**
NAOMI'S BARS **136**
SAUCISSON **138**
PIÈCE MONTÉE AUX CÉRÉALES RICE KRISPIES® **140**
GÂTEAU ROULÉ AU CHOCOLAT **142**

CHOCOLAT CHAUD

POUR 2 PERSONNES - 2 MINUTES DE PRÉPARATION - 5 MINUTES DE CUISSON

Le chocolat du matin, comme le thé ou le café, c'est sacré. À chacun son rituel. En revanche, lorsque l'on reçoit des copines en matinée ou des copains et leurs enfants à l'heure du goûter, un chocolat chaud, un vrai, c'est vraiment extra !

75 g de chocolat noir en morceaux
2 cuillerées à café de sucre
1 gousse de vanille fendue
25 cl de lait frais entier
15 cl de crème fleurette fraîche
Du chocolat en copeaux
ou du cacao en poudre
pour la décoration

Mettez tous les ingrédients dans une casserole et faites chauffer très doucement en remuant avec un fouet jusqu'à ce que tout le chocolat soit fondu et que le mélange soit chaud et mousseux. Versez dans des tasses et parsemez de cacao ou de copeaux de chocolat.

Vous pouvez aussi monter un peu de crème en chantilly et en poser une cuillerée sur le chocolat avant de servir.

COOKIES
AUX FLOCONS D'AVOINE

POUR 20 COOKIES ENVIRON · 15 MINUTES DE PRÉPARATION · 30 MINUTES DE REPOS · 20 MINUTES DE CUISSON

70 g de flocons d'avoine (ceux
de vos petits déjeuners)
210 g de beurre salé en pommade
100 g de sucre glace
220 g de farine
1 cuillerée à café de levure
chimique
50 g de chocolat au lait
50 g de chocolat noir

Faites chauffer le four à 150 °C.
Battez le sucre et le beurre jusqu'à ce que
le mélange soit crémeux et léger.
Ajoutez la farine, la levure et les flocons
d'avoine puis mélangez avec les doigts
afin d'obtenir une pâte assez ferme.
Formez un rouleau de 10 cm de diamètre environ,
emballez-le dans du film alimentaire et mettez-le
au réfrigérateur pendant 30 minutes.
Sortez le rouleau, tranchez des rondelles
d'un demi-centimètre, placez sur du papier sulfurisé
beurré ou un tapis en silicone posé sur une plaque
allant au four et enfournez pendant 15 à 20 minutes
jusqu'à ce que le dessus des cookies soit doré.
Sortez du four, laissez refroidir quelques minutes
sur la plaque puis posez sur une grille.
Lorsqu'ils sont complètement refroidis, décorez
les cookies à l'aide d'une cuillère à café, les uns
avec du chocolat noir fondu, les autres avec
du chocolat au lait, ou mélangez les deux.

COOKIES PISTACHE
ET SIROP D'ÉRABLE

POUR 30 COOKIES ENVIRON - 10 MINUTES DE PRÉPARATION - 5 OU 6 HEURES DE RÉFRIGÉRATION -
10 MINUTES DE CUISSON

150 g de cassonade
2 cuillerées à soupe de sirop
d'érable
170 g de beurre salé en pommade
1 œuf battu
280 g de farine
40 g de pistaches hachées
(ou noix de pécan, noix
de macadamia, noix, noisettes…)
60 g de pépites de chocolat au lait
ou noir

Faites chauffer le four à 190 °C.
Battez la cassonade et le sirop d'érable avec
le beurre jusqu'à ce que le mélange devienne
crémeux et léger. Ajoutez l'œuf, en battant toujours.
Versez ensuite la farine, les pistaches et le chocolat,
et mélangez avec une cuillère en bois.
Formez un rouleau avec la pâte, emballez-le
dans du film alimentaire et laissez reposer
au réfrigérateur pendant 5 ou 6 heures.
Sortez la pâte, coupez-la en rondelles
de ½ centimètre et posez-la sur du papier sulfurisé
ou un tapis en silicone sur une plaque allant au four.
Faites cuire pendant 10 minutes environ jusqu'à
ce que le dessus des cookies soit doré.
Laissez refroidir sur une grille.

COOKIES :
LES CLASSIQUES

POUR 12 COOKIES ENVIRON - 15 MINUTES DE PRÉPARATION - 10 MINUTES DE CUISSON

C'est la version « homemade » par excellence, rien à voir avec les horribles copies dans les supermarchés. Ceux-ci ne cassent pas sous la dent, mais se déforment, se tordent avant de céder et de libérer les petits puits de chocolat cachés ici et là.

150 g de beurre doux ramolli
80 g de cassonade
50 g de vergeoise brune
½ cuillerée à café d'extrait naturel de vanille
3 œufs battus
175 g de farine
½ cuillerée à café de levure chimique
150 g de pépites de chocolat

Faites chauffer le four à 190 °C.
Tapissez 2 plaques allant au four de papier sulfurisé ou d'un tapis en silicone.
Mettez le beurre, la cassonade, la vergeoise et la vanille dans le bol d'un robot et battez jusqu'à ce que le mélange blanchisse et double de volume. Ajoutez les œufs, tout en continuant de battre, puis la farine et la levure. Battez doucement, juste assez pour que l'ensemble se mélange. Versez les pépites de chocolat, puis remuez rapidement et légèrement.
Posez des cuillerées de pâte sur les plaques de cuisson, en les espaçant bien, et enfournez pendant 10 minutes environ. Les cookies doivent être dorés mais encore assez mous au milieu. Sortez-les du four et laissez-les tiédir quelques minutes avant de les poser sur des grilles pour qu'ils refroidissent complètement.

PUITS GOURMANDS

POUR 36 BISCUITS ENVIRON - 45 MINUTES DE PRÉPARATION - 15 MINUTES DE CUISSON ENVIRON

LES BISCUITS

50 g de beurre en pommade
100 g de cassonade
1 cuillerée à soupe de lait
160 g de farine

LE GLAÇAGE

125 g de chocolat noir, blanc
ou au lait, selon vos préférences
60 g de beurre

Faites chauffer le four à 180 °C.
Battez ensemble le beurre et la cassonade.
Ajoutez le lait jusqu'à l'obtention d'un mélange
homogène. Incorporez la farine, puis malaxez
avec les mains afin d'obtenir une pâte souple.
Divisez la pâte en 3 parts et roulez-les
en rouleaux de 2 cm de diamètre. Coupez
ensuite chaque rouleau en 12 morceaux.
Confectionnez une boule avec chacun
des morceaux, en le roulant dans vos mains.
Posez les boules sur 2 plaques allant au four.
Enfoncez le pouce dans chacune d'elles pour
former un petit puits. Faites cuire pendant 15 minutes
environ : les biscuits doivent être bien dorés.
Sortez du four et laissez refroidir.
Faites fondre le chocolat et le beurre au micro-ondes
ou au bain-marie.
Avec une cuillère à café, mettez dans chaque puits
un peu de glaçage et laissez durcir avant de déguster.

COOKIES AUX DEUX CHOCOLATS
ET BEURRE DE CACAHUÈTE

POUR 36 COOKIES ENVIRON - 15 MINUTES DE PRÉPARATION - 15 MINUTES DE CUISSON

Avec deux sortes de pépites de chocolat et du cacao en poudre,
cette recette ne lésine pas sur le goût chocolaté. Le côté salé des
cacahuètes s'y mêle merveilleusement. Ces cookies très riches sont
vraiment meilleurs quand ils sont tout petits.

LES COOKIES
120 g de chocolat noir
120 g de beurre salé
300 g de sucre
3 œufs battus
120 g de farine
1 ½ cuillerée à café de levure
chimique
120 g de cacao en poudre
120 g de chocolat au lait coupé
en morceaux de 1 cm environ

LA GARNITURE
150 g de beurre de cacahuète
50 g de sucre glace

Faites chauffer le four à 170 °C.
Faites fondre le chocolat noir avec le beurre
au micro-ondes ou au bain-marie.
Laissez refroidir avant d'y ajouter le sucre puis les œufs.
Ajoutez la farine, la levure et le cacao, et mélangez
bien avant d'incorporer le chocolat au lait.
Prélevez 1 cuillerée à café de la pâte et faites-en
une petite boule entre vos paumes avant de l'aplatir
légèrement sur une plaque.
Répétez l'opération, en laissant 5 cm environ entre deux
cookies, puis faites cuire pendant 12 à 15 minutes.
Sortez du four et laissez refroidir sur une grille.
Mélangez le beurre de cacahuète et le sucre glace.
Mettez-en sur un cookie et posez un autre cookie
par-dessus, en appuyant légèrement pour qu'ils tiennent
bien entre eux.
Servez avec le café ou en dessert, avec de la glace
à la vanille.

BISCOTTI

POUR 30 BISCUITS ENVIRON - 20 MINUTES DE PRÉPARATION - 35 MINUTES DE CUISSON - 40 MINUTES DE REPOS

225 g de sucre
75 g de beurre en pommade
4 œufs
1 cuillerée à café d'extrait
de vanille liquide
210 g de farine
1 sachet de levure chimique
250 g de pépites de chocolat noir

Battez le sucre et le beurre. Ajoutez les œufs
un par un, puis l'extrait de vanille. Incorporez
la farine et la levure. Ajoutez les pépites de
chocolat et mélangez bien. Formez sur un tapis
en silicone ou du papier sulfurisé 2 rectangles de
ce mélange, de 25 cm de long et 10 cm de large.
Réfrigérez pendant 30 minutes.
Faites chauffer le four à 180 °C et faites cuire
les biscotti pendant 25 minutes environ. Le dessus
doit être craquelé et un couteau doit sortir propre
lorsqu'il est enfoncé dans le centre du gâteau.
Sortez du four et laissez refroidir 10 minutes.
Baissez le four à 150 °C et faites glisser les gâteaux
sur une planche ; coupez en diagonale des barres
de 2 cm d'épaisseur dans la pâte chaude.
Remettez les biscotti et faites cuire de nouveau,
de 5 à 8 minutes par côté. Le dessus doit être bien doré.
Laissez refroidir et dégustez en trempant dans un bon café.

FLORENTINS
(OU PRESQUE !)

POUR 12 PIÈCES ENVIRON · 20 MINUTES DE PRÉPARATION · 25 MINUTES DE CUISSON · 1 HEURE DE REPOS

Il y a des recettes qui nous échapperont toujours ! J'ai essayé de réussir les vrais florentins, testé trois recettes différentes, et utilisé des kilos de cerises et fruits confits. Mais je n'y suis jamais arrivée ! Alors voici ma recette à moi, qui contient la plupart des ingrédients (sauf le stress) du florentin exemplaire.

100 g de beurre
100 g de cassonade
100 g de miel
100 g de cerises confites
50 g de raisins secs
75 g de fruits confits hachés
100 g d'amandes effilées
100 g de farine
100 g de chocolat noir ou au lait

Faites chauffer le four à 180 °C.
Beurrez une plaque à biscuits de 18 x 28 cm environ.
Placez une feuille de papier sulfurisé au fond.
Faites chauffer le beurre, la cassonade et le miel jusqu'à ce que la cassonade soit complètement dissoute. Hors du feu, ajoutez les cerises, les raisins, les fruits confits, les amandes effilées et la farine. Mélangez bien. Versez sur la plaque et faites cuire pendant 20 à 25 minutes jusqu'à ce que le dessus soit doré. Laissez refroidir dans le moule pendant 5 minutes, puis tracez des carrés avec un couteau : ils seront faciles à découper lorsqu'ils seront froids. Une fois que tout a refroidi, faites fondre le chocolat au bain-marie ou au micro-ondes. Découpez des morceaux de carré avec les doigts et trempez-en une face dans le chocolat, puis laissez de nouveau refroidir et durcir sur une feuille guitare ou une feuille de papier sulfurisé.

SHORTBREAD
AU CHOCOLAT

POUR 20 GÂTEAUX ENVIRON · 15 MINUTES DE PRÉPARATION · 50 MINUTES DE CUISSON

250 g de beurre salé très froid
coupé en petits dés
85 g de sucre
300 g de farine
25 g de cacao en poudre

Préchauffez le four à 150 °C.
Travaillez le beurre, le sucre, la farine et le cacao
avec les doigts ou au robot pour obtenir un mélange
sableux. Pétrissez 1 minute sur une surface froide
et légèrement farinée. Pressez la pâte avec
les doigts dans un plat préalablement beurré.
Faites cuire 50 minutes.
Découpez en rectangles au sortir du four et
parsemez de sucre. Laissez refroidir dans le plat.

SHORTBREAD AUX PISTACHES
ET AU GINGEMBRE

POUR 15 GÂTEAUX ENVIRON - 15 MINUTES DE PRÉPARATION - 50 MINUTES DE CUISSON EN TOUT

250 g de beurre salé très froid coupé en petits dés
85 g de sucre
330 g de farine
50 g de pistaches
3 cuillerées à soupe de gingembre confit coupé en petits dés
150 g de chocolat noir, blanc ou au lait

Préchauffez le four à 180 °C.
Travaillez le beurre, le sucre et la farine avec les doigts ou au robot pour obtenir un mélange sableux. Ajoutez les pistaches et le gingembre. Pétrissez 1 minute sur une surface froide et légèrement farinée.
Roulez sur la même surface et découpez les formes qu'il vous plaira.
Posez sur une plaque allant au four ou sur un tapis en silicone, et faites cuire 25 à 30 minutes.
Sortez du four, parsemez de sucre, laissez refroidir quelques minutes puis mettez sur une grille.
Faites fondre le chocolat et trempez-y le shortbread. Laissez refroidir de nouveau sur une feuille guitare ou une feuille de papier sulfurisé.

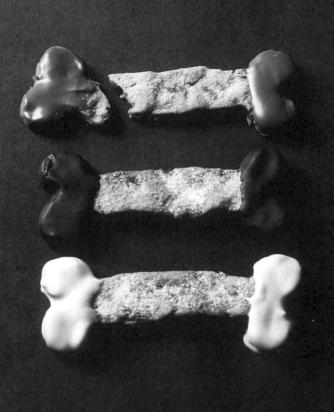

MADELEINES AU CHOCOLAT
ET AU MIEL

POUR 40 MINI-MADELEINES OU 20 GRANDES ENVIRON · 10 MINUTES DE PRÉPARATION · 1 HEURE DE REPOS ·
10 MINUTES DE CUISSON

150 g de chocolat noir
70 g de beurre
5 œufs, blancs et jaunes séparés
125 g de sucre
4 cuillerées à soupe de miel
150 g de farine

Faites fondre le chocolat et le beurre
au micro-ondes ou au bain-marie ; laissez refroidir.
Battez les jaunes d'œufs avec le sucre jusqu'à ce
que le mélange soit épais et devienne jaune pâle.
Ajoutez le chocolat fondu, le miel et la farine, en battant
rapidement le mélange après chaque nouvel ingrédient.
Montez les blancs d'œufs en neige pas trop ferme
et incorporez-les à la pâte. Laissez refroidir au réfrigérateur
pendant au moins 1 heure.
Préchauffez le four à 190 °C.
Si vous utilisez un moule en silicone, pas besoin
de le beurrer ; avec un moule classique, prenez soin
de bien enduire les creux.
Mettez 1 cuillerée à café rase de pâte dans les petits
moules, une bien pleine dans les plus grands.
Faites cuire 8 à 10 minutes, selon la taille
des madeleines. Elles doivent être juste bombées
sur le dessus.
Sortez du four et laissez refroidir un peu avant
de démouler.

MUFFINS
AU CHOCOLAT

POUR 12 MUFFINS - 5 MINUTES DE PRÉPARATION - 15 MINUTES DE CUISSON

100 g de farine
1 cuillerée à soupe de cacao
en poudre
50 g de sucre
10 cl de lait demi-écrémé
1 œuf
2 cuillerées à soupe d'huile
de tournesol

Préchauffez le four à 170 °C.
Au-dessus d'un saladier, tamisez la farine avec
le cacao en poudre, puis mélangez avec le sucre.
Battez le lait, l'œuf et l'huile ensemble
dans un autre saladier.
Faites un puits dans le mélange farine-sucre-cacao
et versez le liquide.
Mélangez rapidement, ne vous inquiétez pas
des grumeaux, puis remplissez des moules à muffin.
Enfournez pendant 15 minutes jusqu'à ce que
les gâteaux soient bien gonflés.
Sortez du four et dégustez chaud, tiède ou froid.

CUPCAKES

POUR 20 GÂTEAUX ENVIRON · 15 MINUTES DE PRÉPARATION · 15 MINUTES DE CUISSON

225 g de beurre
225 g de sucre
4 œufs
225 g de farine
4 cuillerées à café de cacao
en poudre mélangées avec
4 cuillerées à café d'eau
1 ½ cuillerée à café de levure
chimique
20 caissettes en papier environ

Préchauffez le four à 180 °C et mettez
des caissettes en papier dans des moules.
Mettez tous les ingrédients dans un bol et
mélangez. Battez pendant 1 minute environ
jusqu'à ce que le mélange soit homogène.
Avec une cuillère, remplissez les moules aux deux
tiers et enfournez pendant 12 à 15 minutes.
Laissez refroidir avant d'enlever les moules
si vous le voulez.
Recouvrez les cupcakes de ganache
(voir la recette page 30) ou de crème
au beurre (voir la recette page 32).

GRANOLA
AU CHOCOLAT

POUR 3 GRANDS BOLS · 5 MINUTES DE PRÉPARATION · 5 À 7 MINUTES DE CUISSON

Parfait pour accompagner un coup de blues, quand vous avez envie de vous affaler devant la télévision et d'éteindre votre cerveau... Personnalisez cette recette avec vos graines préférées : augmentez les doses et éliminez des ingrédients à votre guise.

125 g de pépites de chocolat noir
40 g de flocons d'avoine
1 cuillerée à soupe de pistaches
1 cuillerée à soupe d'amandes effilées
1 cuillerée à soupe de noix de pécan (ou de noisettes, d'amandes, de noix de macadamia entières)
1 cuillerée à soupe de noix de coco râpée
1 cuillerée à soupe de pignons de pin
1 cuillerée à soupe de miel liquide

Préchauffez le four à 180 °C.
Mélangez bien tous les ingrédients. Versez sur une plaque allant au four et faites griller pendant 5 à 7 minutes jusqu'à ce que le mélange prenne une jolie couleur dorée. Secouez la plaque à mi-cuisson pour que les graines ne collent pas entre elles. Laissez refroidir. Servez dans un bol de lait ou avec du yaourt et des fruits frais... et de grosses chaussettes bien chaudes !

Zazie dans le métro
Comédie de Louis Malle
Philippe Noiret, Hubert Desch
Annie Fratellini (pour enfants)
jouer du langage cinématog
Queneau l'avait fait de la lang
une fantaisie jaillissante,
cruauté. Rapide, insolent,
• 14° Denfert
chance, pourraient boule
de la maisonnée. Atmosph
C.B.
• 15° Saint-Lambert
une prouesse pour le réalisa-
trov qui a assemblé quelque
peints sur des plaques de verre
er ce film d'animation de 22 mi-
d'Hemingway. Résultat : un os-
our court-métrage. F.M.
eurs 2000, franco-colom-
lucteur à ce qui consti-
cruauté de la vie quo-
ux jeunes garçons qui
u 24 au 30 octobre 2001

SANDWICH CHAUD

POUR 2 PERSONNES (OU 1, EN CAS DE GROS COUP DE CAFARD) - 2 MINUTES DE PRÉPARATION - 2 MINUTES DE CUISSON

Du beurre
4 tranches de brioche
1 barre chocolatée volée
à vos enfants ou 1 pot de pâte
à tartiner au chocolat (celle du petit
déjeuner)

Beurrez les tranches de brioche, puis posez-les
côté beurré contre l'appareil à croque-monsieur.
Coupez la barre chocolatée en lamelles ou étalez
la pâte chocolatée sur 2 tranches de brioche.
Posez les autres par-dessus et faites griller jusqu'à
ce qu'une odeur délicieuse se répande dans
votre cuisine, puis dégustez en cachette de vos
enfants/vos voisins/votre ami(e)/mari/femme.

CAKE AU CHOCOLAT,
AUX NOISETTES ET AUX AMANDES

POUR 8 PERSONNES - 15 MINUTES DE PRÉPARATION - 1 HEURE DE CUISSON

Le killer des quatre-heures…

5 œufs bio
150 g de beurre salé bien mou
250 g de chocolat noir coupé
en morceaux
225 g de sucre
250 g de poudre d'amandes
75 g de noisettes émondées,
grillées et concassées
150 g de farine
1 sachet de levure chimique

Préchauffez le four à 180 °C.
Séparez les blancs d'œufs des jaunes. Battez les jaunes d'œufs avec le beurre jusqu'à ce qu'ils deviennent blancs et doublent de volume. Ajoutez tous les autres ingrédients, sauf les blancs d'œufs, et mélangez bien.
Battez les blancs d'œufs en neige et mélangez avec le reste de pâte, en la soulevant délicatement.
Dans un moule beurré et fariné, versez le mélange et faites cuire de 50 minutes à 1 heure, en surveillant bien vers la fin.
Laissez refroidir dans le moule avant de sortir et de couvrir de chocolat noir.

CARRÉS AUX MARSHMALLOWS
ET AU CHOCOLAT BLANC

POUR 10 À 12 PERSONNES · 15 MINUTES DE PRÉPARATION · 5 MINUTES DE CUISSON · 1 HEURE 30 DE REPOS

100 g de beurre fondu et refroidi
1 paquet de Petit Lu® écrasés en
tout petits morceaux
100 g de noix de coco râpée
1 boîte de lait condensé sucré
1 sachet de chamallows roses
et blancs
150 g de chocolat blanc

Mélangez tous les ingrédients, sauf le chocolat et les chamallows, et étalez-les sur une plaque à biscuits. Mettez 30 minutes au réfrigérateur. Coupez les chamallows en morceaux à l'aide d'une paire de ciseaux mouillés puis étalez-les sur le mélange sorti du réfrigérateur. Faites fondre le chocolat blanc et étalez-le sur les chamallows. Laissez refroidir pendant 1 heure environ ; essayez d'éviter le réfrigérateur pour ne pas tacher le chocolat d'humidité.

NAOMI'S BARS

POUR 8 À 10 PERSONNES · 20 MINUTES DE PRÉPARATION · 5 MINUTES DE CUISSON · 2 HEURES 30 DE RÉFRIGÉRATION

PREMIÈRE COUCHE
100 g de beurre
50 g de sucre
3 cuillerées à café de cacao
en poudre
100 g de chocolat noir
1 œuf battu
250 g de biscuits écrasés (Petit Lu®)
50 g de noix de coco râpée
50 g de noix hachées (ou de noix
de pécan)

DEUXIÈME COUCHE
50 g de beurre ramolli
250 g de sucre glace
3 cuillerées à soupe de Custard
Powder
3 à 4 cuillerées à soupe d'eau

TROISIÈME COUCHE
50 g de beurre ramolli
80 g de chocolat noir
50 g de sucre glace

PREMIÈRE COUCHE

Faites fondre le chocolat, le beurre et le sucre au micro-ondes ou au bain-marie. Ajoutez l'œuf battu et faites chauffer doucement, sans laisser bouillir. Hors du feu, incorporez les autres ingrédients. Étalez la préparation sur une plaque ou dans un plat à gratin, sur une épaisseur d'environ 1 cm. Placez 1 heure au réfrigérateur.

DEUXIÈME COUCHE

Battez ensemble tous les ingrédients de la deuxième couche afin d'obtenir un mélange lisse et homogène. Étalez-le sur la première couche refroidie et remettez le tout 30 minutes environ au frais.

TROISIÈME COUCHE

Faites fondre doucement le beurre et le chocolat au micro-ondes ou au bain-marie. Mélangez avec le sucre glace. Étalez sur les autres couches froides et laissez au réfrigérateur 1 heure environ avant de découper en carrés.

Si vous ne trouvez pas de Custard Powder (rayon « produits du monde » du supermarché), mélangez quelques gouttes d'essence naturelle de vanille et 30 g de sucre glace.

SAUCISSON

POUR 20 RONDELLES ENVIRON - 15 MINUTES DE PRÉPARATION - 7 HEURES DE REPOS - 5 MINUTES DE CUISSON

125 g de chocolat noir
50 g de beurre
150 g de noisettes concassées
grossièrement
12 gâteaux Pim's à l'orange®
coupés en quartiers
100 g de raisins secs blonds
2 ou 3 cuillerées à café de sucre
glace

Faites fondre le chocolat et le beurre au
bain-marie ou au micro-ondes. Ajoutez tous
les autres ingrédients et mélangez bien.
Faites refroidir un peu au réfrigérateur.
Lorsque le mélange ne vous colle pas trop
aux mains, roulez le tout en forme de saucisson.
Faites refroidir au moins 6 à 7 heures.
Enrobez de sucre glace et coupez en rondelles.

Dégustez accompagné d'un banyuls ou d'un maury, à la place du gros rouge qui tache !
La recette d'origine prévoit 3 cuillerées à soupe de cognac ou d'amaretto.

PIÈCE MONTÉE
AUX CÉRÉALES RICE KRISPIES®

POUR 10 À 12 PERSONNES - 30 MINUTES DE PRÉPARATION - 30 MINUTES DE REPOS ET DE MONTAGE -
5 MINUTES DE CUISSON

Voici un « gâteau » rapide et rigolo. Procurez-vous de longues bougies
pour lui donner un air de fête.

1 paquet de céréales Rice Krispies®
(comme celles du petit déjeuner
des enfants)
200 g de chocolat noir
et 50 g à part
150 g de chocolat blanc
150 g de chocolat au lait

Faites fondre séparément, au bain-marie
ou au micro-ondes, les trois chocolats.
La base du gâteau : mélangez les 200 g de chocolat
noir avec un peu plus d'un tiers des céréales Rice
Krispies® dans un bol et formez, sur une feuille guitare
ou de papier sulfurisé, un disque de 20 cm
de diamètre environ. Lissez bien la surface.
Répartissez le reste des céréales dans les 2 chocolats
restants et mélangez délicatement.
Sur 3 autres feuilles, posez des disques de chaque
sorte de chocolat de 7 à 8 cm de diamètre.
Laissez le tout refroidir dans un endroit frais.
Lorsque tous les morceaux sont froids et durs,
faites fondre le chocolat restant (50 g) :
il servira de colle. Montez le gâteau sur la base
de 20 cm, en alternant les sortes de chocolat.
Fixez les bougies avec du chocolat fondu
et laissez durcir complètement.

GÂTEAU ROULÉ
AU CHOCOLAT

POUR 8 PERSONNES · 25 MINUTES DE PRÉPARATION · 20 MINUTES DE CUISSON

175 g de chocolat noir en pastilles
ou cassé en petits morceaux
5 œufs, blancs et jaunes séparés
175 g de sucre
2 cuillerées à soupe de sucre glace
2 cuillerées à soupe de cacao
en poudre

LE BISCUIT

Faites chauffer le four à 180 °C. Posez un papier
sulfurisé ou un tapis en silicone sur une plaque
à biscuits. Faites fondre le chocolat au micro-ondes
ou au bain-marie.
Battez les jaunes d'œufs et le sucre jusqu'à ce
que le mélange blanchisse et devienne mousseux.
Ajoutez-y délicatement le chocolat fondu légèrement
refroidi, en mélangeant. Battez les blancs d'œufs en
neige pas trop ferme puis incorporez-les au mélange
chocolaté, en 3 fois, afin de ne pas trop faire tomber
les blancs. Étalez sur la plaque et lissez. Faites cuire
entre 15 et 20 minutes jusqu'à ce que le biscuit
soit ferme sur le dessus mais moelleux sous le doigt.
Sortez du four, posez une deuxième feuille de papier
sulfurisé sur le biscuit chaud et laissez refroidir.

AVANT DE GARNIR

Une fois le biscuit refroidi, enlevez délicatement la feuille
de papier du dessus et réutilisez-la sur la surface qui n'était
pas collée au biscuit, en la saupoudrant de sucre glace
et de cacao. En faisant très attention – si vous le pouvez,
faites-vous aider –, retournez le biscuit sur la feuille
de sucre et de cacao. Le biscuit est maintenant recouvert
de la feuille sur laquelle il a cuit. Très délicatement,
enlevez cette feuille. Si vous voulez que votre gâteau
roulé ait des bords droits, égalisez-les en les coupant
en ligne droite sur les côtés.

Tournez la page pour la suite de la recette…

GÂTEAU ROULÉ
AU CHOCOLAT

SUITE ET FIN DE LA RECETTE

LE MONTAGE
Garnissez le roulé en commençant à 2 cm du haut
du biscuit et en faisant attention de ne pas étaler
une couche trop épaisse. Puis, avec l'aide du papier
sous le biscuit, commencez à le rouler. Le premier
tour doit impérativement être très serré (à peine 2 cm
de diamètre) pour que le gâteau roule bien sur lui-
même. Ne vous inquiétez pas si le biscuit se fissure par
endroits : c'est bien plus joli et appétissant comme ça.
Vous pouvez garder le papier serré sur le gâteau roulé
et le laisser refroidir avec sa garniture afin de l'aider à
conserver sa forme ; vous l'ôterez juste avant de servir.

LA GARNITURE
Utilisez simplement une garniture de votre choix :
chantilly, ganache (voir page 30),
crème au beurre (voir page 32)…

Desserts
pour tous
les jours

PAIN PERDU AU CHOCOLAT.. 148

RIZ AU LAIT AU PUITS DE CHOCOLAT FONDU................................ 150

YAOURT BASQUE AU CHOCOLAT MAISON................................... 152

PETITS-SUISSES À LA SAUCE AU CHOCOLAT................................ 154

PETITES CRÈMES AU CHOCOLAT COMME CELLES DE MA MAMAN........ 156

CRÈME BRÛLÉE AU CHOCOLAT... 158

MOUSSE AU CHOCOLAT NOIR.. 160

MOUSSE AU CHOCOLAT NOIR UN PEU PLUS ÉLABORÉE................... 162

MOUSSE AU CHOCOLAT AU LAIT.. 164

MOUSSE AU CHOCOLAT BLANC.. 166

FONDUE AU CHOCOLAT... 168

PAIN PERDU
AU CHOCOLAT

POUR 8 PERSONNES - 15 MINUTES DE PRÉPARATION - 12 HEURES DE REPOS MINIMUM (1 NUIT) - 30 MINUTES DE CUISSON

Une dizaine de tranches de pain
de campagne ou de pain de mie
150 g de chocolat noir
75 g de beurre
50 cl de crème fleurette
100 g de sucre
4 œufs
Un peu de vergeoise

Coupez le pain en triangles.
Faites fondre le chocolat et le beurre avec la crème
et le sucre au bain-marie ou au micro-ondes.
Remuez bien et assurez-vous que le sucre est
bien dissous.
Battez légèrement les œufs et ajoutez-les au mélange.
Battez de nouveau afin de bien homogénéiser
la préparation et d'obtenir un mélange bien crémeux.
Mettez le pain dans un plat à gratin, en faisant
se chevaucher les tranches, et couvrez de sauce
au chocolat, en appuyant avec une cuillère pour
être sûr que tous les morceaux sont bien couverts.
Laissez macérer au moins 1 nuit, si vous pouvez,
avant de faire cuire au four à 180 °C pendant
30 minutes environ.
Laissez refroidir un peu avant de servir avec
de la crème fraîche et de la vergeoise.

Vous pouvez remplacer le pain par de la brioche ou du panettone, histoire d'enrichir un peu la recette.

RIZ AU LAIT
AU PUITS DE CHOCOLAT FONDU

POUR 6 PERSONNES - 5 MINUTES DE PRÉPARATION - 20 MINUTES DE CUISSON

C'est moins une recette qu'un « truc » délicieux, qui fera plaisir à vos invités ou vous remontera le moral à coup sûr dans une grande vague de nostalgie réconfortante. Ce principe marche très bien aussi avec du porridge.

100 g de sucre
1 litre de lait entier
1 gousse de vanille
500 g de riz rond
150 g de chocolat en pastilles
ou coupé en morceaux de 1 cm
environ

Versez le sucre dans le lait et portez à ébullition. Ajoutez la gousse de vanille fendue et le riz, et faites cuire en remuant sans cesse pendant 20 minutes environ. Il faut que le lait soit absorbé et le riz fondant. Ajoutez du lait si le mélange devient trop collant. Disposez les portions dans des ramequins ; avec une petite cuillère, enfoncez les pastilles de chocolat sous la surface du riz. Ainsi, il sera fondu lorsque vos invités y plongeront leur cuillère. Là, l'instant est grave : faut-il remuer ou pas ?

Vous pouvez aussi mettre le chocolat, noir ou au lait, et remuer aussitôt. Ajoutez sur le dessus un peu de mascarpone ou de crème fraîche avec ½ cuillerée à café de vergeoise pour le croquant : c'est trop bon !

YAOURT BASQUE
AU CHOCOLAT MAISON

5 MINUTES DE PRÉPARATION · 3 MINUTES DE CUISSON

200 g de chocolat de couverture
noir
65 g d'amandes ou de noisettes
en poudre
500 g de lait concentré sucré
300 g de margarine

Faites fondre le chocolat au micro-ondes.
Ajoutez-y d'abord la margarine, puis le lait
et les amandes en poudre. Mélangez bien et
conservez au frais dans un bocal à conserve.
Servez avec un bon yaourt fermier.

PETITS-SUISSES
À LA SAUCE AU CHOCOLAT

POUR 3 PERSONNES - 5 MINUTES DE PRÉPARATION - 3 MINUTES DE CUISSON

6 petits-suisses
15 cl de crème fleurette
150 g de chocolat au lait
7,5 cl de lait

Faites chauffer le lait et la crème, puis versez le mélange sur le chocolat coupé en tout petits morceaux.
Remuez et servez encore chaud avec les petits-suisses.

Au lieu de préparer une sauce maison, vous pouvez évidemment faire fondre vos barres chocolatées favorites !

PETITES CRÈMES AU CHOCOLAT
COMME CELLES DE MA MAMAN

POUR 6 PERSONNES - 10 MINUTES DE PRÉPARATION - 20 MINUTES DE CUISSON

75 g de sucre
5 œufs
100 g de chocolat noir coupé
en petits morceaux
60 cl de lait entier

Faites chauffer le four à 180 °C.
Battez légèrement les œufs avec le sucre
dans un grand bol. Portez le lait à ébullition
et versez-le sur le chocolat. Mélangez bien.
Ajoutez petit à petit le mélange chocolaté dans les œufs.
Versez la crème dans des petits pots ou des ramequins.
Placez-les dans un plat à gratin et remplissez-le
à moitié d'eau chaude.
Faites cuire au bain-marie 15 à 20 minutes.
Laissez refroidir et servez avec des petits biscuits fins
et croquants.

CRÈME BRÛLÉE
AU CHOCOLAT

POUR 6 PERSONNES - 15 MINUTES DE PRÉPARATION - 30 MINUTES DE CUISSON - 2 HEURES DE REPOS

60 g de sucre
7 jaunes d'œufs
70 cl de crème fleurette
150 g de chocolat noir
5 cuillerées à soupe de cassonade

Faites chauffer le four à 130 °C.
Faites fondre le chocolat au bain-marie
ou au micro-ondes. Laissez refroidir légèrement.
Avec un batteur électrique, fouettez les jaunes d'œufs
avec le sucre jusqu'à ce que le mélange blanchisse.
En continuant de battre, ajoutez d'abord
le chocolat fondu puis la crème.
Mettez le mélange dans des plats à œufs
ou des petits plats à gratin individuels en terre.
Faites cuire pendant 30 minutes environ.
Surveillez bien : il faut que la crème soit prise
sur les côtés et tremblotante au milieu.
Sortez les petits ramequins du four et laissez
refroidir dans un endroit frais, puis mettez
au réfrigérateur pendant quelques heures.
Juste avant de servir, faites chauffer le gril
de votre four au maximum, saupoudrez les crèmes
de cassonade et faites-les caraméliser.
Remettez au froid.

MOUSSE
AU CHOCOLAT NOIR

POUR 4 PERSONNES - 10 MINUTES DE PRÉPARATION - 2 HEURES DE REPOS - 3 MINUTES DE CUISSON

150 g de chocolat noir coupé
en petits morceaux
2 cuillerées à café de rhum,
de liqueur de café ou de cognac
(facultatif)
5 œufs dont vous aurez séparé
les blancs des jaunes

Faites fondre le chocolat au micro-ondes
ou au bain-marie. Hors du feu ajoutez l'alcool
– si vous en mettez –, puis les jaunes d'œufs,
un par un. Montez les blancs en neige et
incorporez-les délicatement au mélange chocolaté.
Versez la préparation dans un ou plusieurs
plats pour servir. Laissez refroidir
au moins 2 heures avant de déguster.

MOUSSE AU CHOCOLAT NOIR
UN PEU PLUS ÉLABORÉE

POUR 6 PERSONNES · 10 MINUTES DE PRÉPARATION · 2 HEURES DE REPOS · 3 MINUTES DE CUISSON

200 g de chocolat noir coupé
en petits morceaux
50 g de beurre
3 œufs
10 cl de crème fraîche
25 g de sucre glace

Faites fondre le chocolat avec le beurre au micro-ondes
ou au bain-marie. Séparez les jaunes des blancs
d'œufs. Mélangez la crème avec les jaunes,
puis ajoutez le sucre glace. Ajoutez à la préparation
le chocolat et le beurre fondus. Mélangez bien.
Battez les blancs en neige très ferme et incorporez-les
délicatement au mélange au chocolat.
Versez dans le récipient de votre choix. Laissez refroidir
au moins 2 heures au réfrigérateur.

MOUSSE
AU CHOCOLAT AU LAIT

POUR 4 PERSONNES · 5 MINUTES DE PRÉPARATION · 1 NUIT DE RÉFRIGÉRATION · 2 MINUTES DE CUISSON

10 cl de crème fleurette
150 g de chocolat au lait

Faites chauffer la crème et versez-la sur le chocolat.
Remuez bien jusqu'à ce que le chocolat ait fondu
et que le mélange soit lisse et brillant. Laissez refroidir
toute une nuit – ou au moins 4 heures – au réfrigérateur.
Avant de servir, fouettez à l'aide d'un batteur
électrique et versez dans le récipient de votre choix.

MOUSSE
AU CHOCOLAT BLANC

POUR 6 PERSONNES - 10 MINUTES DE PRÉPARATION - 1 NUIT DE RÉFRIGÉRATION - 2 MINUTES DE CUISSON

10 cl de crème fleurette
200 g de chocolat blanc

Faites chauffer la crème et versez-la sur le chocolat. Remuez bien jusqu'à ce que le chocolat ait fondu et que le mélange soit lisse et brillant. Laissez refroidir toute une nuit – ou au moins 4 heures – au réfrigérateur. Avant de servir, fouettez à l'aide d'un batteur électrique et versez dans le récipient de votre choix. Présentez avec des fruits rouges de saison.

FONDUE
AU CHOCOLAT

POUR 4 PERSONNES · 25 MINUTES DE PRÉPARATION · 5 MINUTES DE CUISSON

200 g de chocolat noir à 60 %
de cacao minimum
15 cl de crème fleurette fraîche
Un assortiment de fruits frais et secs
(fraise, ananas, kiwi, banane, figue
séchée, poire fraîche et séchée,
pruneau, mandarine, etc.)
Un assortiment de biscuits secs
(amaretti, biscuits à la cuiller,
cigarettes russes, langues-de-chat,
etc.)

Portez la crème à ébullition et versez-la sur le chocolat,
râpé ou en petits morceaux. Mélangez à l'aide
d'un fouet et transvasez-la dans votre appareil
à fondue ou dans un bain-marie pour maintenir
le chocolat à la bonne température.
Trempez ensuite fruits et gâteaux dans la fondue
au chocolat.

Desserts
des
grands
jours
♥

TIRAMISÙ AU CHOCOLAT..172
TRIFLE À LA FORÊT-NOIRE 174
BANOFFEE AU CHOCOLAT..178
POIRES BELLE-HÉLÈNE 180
ÎLES FLOTTANTES AU CHOCOLAT....................................182
PETITS POTS AU BAILEYS..184
TUILES AU GRANOLA ET GRANITÉ DE CAFÉ.........................186
QUENELLES AU CHOCOLAT..188
POIRE RÔTIE FARCIE DE PESTO AU CHOCOLAT 190
TATIN BANANE-CHOCOLAT 192
MILLE-FEUILLE AU CHOCOLAT BLANC ET AUX FRAMBOISES.........194
GÂTEAU « C'EST MOI QUI L'AI FAIT » AUX MÛRES ET MYRTILLES.....196
PAVLOVA AU CHOCOLAT, CITRON VERT ET FRUITS DE LA PASSION 200
CHEESE-CAKE SANS CUISSON 202
GÂTEAU ESCARGOT...204
PÂTE SABLÉE AU CHOCOLAT 206
TARTE ABSOLUE..208
TARTE AU CHOCOLAT PRALINÉ ET CARAMEL AU CACAO 210
TARTELETTES AU CHOCOLAT BLANC 212

TIRAMISÙ
AU CHOCOLAT

POUR 6 PERSONNES · 30 MINUTES DE PRÉPARATION · 5 HEURES DE RÉFRIGÉRATION

25 cl de café fort tiédi
6 œufs dont vous aurez séparé
les blancs des jaunes
110 g de sucre
500 g de mascarpone
1 verre d'amaretto ou de marsala
30 biscuits à la cuiller
4 cuillerées à soupe de cacao
en poudre
200 g de chocolat noir

Battez les jaunes avec le sucre jusqu'à ce que
le mélange blanchisse. Incorporez le mascarpone en
continuant de battre. Montez trois des blancs en neige
et ajoutez-les au mélange mascarpone/œufs/sucre.
Ajoutez l'amaretto au café ; trempez rapidement
les biscuits dans le mélange et disposez-les
au fond du ou des récipients. Faites fondre
le chocolat au micro-ondes ou au bain-marie.
Recouvrez les biscuits de crème puis d'une fine
couche de chocolat fondu. Renouvelez l'opération
afin de constituer la seconde couche.
Recouvrez d'un film alimentaire et laissez
refroidir au moins 5 heures au réfrigérateur.
Parsemez de cacao en poudre juste avant de servir.

TRIFLE
À LA FORÊT-NOIRE

POUR 12 PERSONNES · 30 MINUTES DE PRÉPARATION · 20 MINUTES DE CUISSON · 2 HEURES DE RÉFRIGÉRATION

LA GÉNOISE
12 œufs, blancs et jaunes séparés
200 g de sucre
75 g de cacao en poudre

1 grand pot (ou 2 petits)
de griottes au kirsch
50 cl de crème fleurette
200 g de mascarpone (facultatif)
3 cuillerées à soupe de sucre
200 g de chocolat noir
100 g de copeaux de chocolat noir

LA GÉNOISE

Faites chauffer le four à 180 °C.
Graissez et chemisez un moule de papier
sulfurisé. Battez les jaunes d'œufs et le sucre
jusqu'à ce que le mélange blanchisse
et devienne mousseux. Incorporez doucement
le cacao avec une grande cuillère.
Battez les blancs d'œufs en neige et ajoutez-les
au mélange chocolaté, en 3 fois afin de ne pas
faire retomber les blancs. Versez dans un moule
et faites cuire pendant 20 minutes environ.
Le dessus de la génoise doit être moelleux lorsque
vous le pressez avec un doigt. Sortez-la du four
et laissez-la refroidir un peu sur une grille avant
de démouler et de laisser refroidir complètement.

Tournez la page pour la suite de la recette…

TRIFLE
À LA FORÊT-NOIRE

SUITE ET FIN DE LA RECETTE

LE MONTAGE

Égouttez les cerises, en conservant le sirop au kirsch.
Battez la crème avec le mascarpone et le sucre.
Coupez le gâteau en deux dans sa hauteur, puis posez
une couche de génoise au fond d'une coupe. Faites
couler la moitié du sirop des cerises et disposez
la moitié des fruits sur la génoise.
Faites fondre le chocolat noir au micro-ondes
ou au bain-marie. Avec une cuillère, faites couler
une fine couche de chocolat fondu, aussi égale
que possible, qui durcira au contact de la génoise.
Mettez une couche de crème sur le chocolat,
puis recommencez l'opération en réservant
quelques cerises et les copeaux de chocolat
pour la décoration finale. Laissez refroidir
au réfrigérateur quelques heures avant de servir.

Vous pouvez aussi faire des trifles individuels dans des verres ou des petites coupes, et utiliser la recette
de la crème anglaise au chocolat des îles flottantes (page 182) entre les couches de génoise.

BANOFFEE
AU CHOCOLAT

POUR 6 PERSONNES - 2 HEURES DE PRÉPARATION POUR LE CARAMEL - 20 MINUTES POUR LE RESTE - 2 HEURES
DE RÉFRIGÉRATION

1 paquet de *digestive biscuits*,
3 bananes
Le jus d'un citron
1 boîte de lait concentré sucré
50 g de beurre salé
200 g de chocolat au lait
Un peu de crème fleurette fouettée
pour la garniture

Préparez un *dulce de leche* facile (voir la recette page 236).
Écrasez les biscuits. Faites fondre le beurre, mélangez-le aux biscuits écrasés et pressez le mélange au fond des cercles posés sur 6 assiettes. Laissez refroidir.
Coupez les bananes en rondelles, roulez-les dans le jus de citron pour qu'elles ne s'oxydent pas, puis disposez-les sur les bases de biscuit.
Répartissez le *dulce de leche* sur les bananes.
Faites fondre le chocolat au micro-ondes ou au bain-marie. Faites couler du chocolat sur le *dulce de leche* et laissez refroidir puis durcir au réfrigérateur 1 ou 2 heures.
Juste avant de servir, fouettez la crème fleurette, puis ôtez délicatement les cercles en appuyant sur les disques au chocolat ; garnissez d'un peu de crème fouettée et laissez le tout s'écrouler gentiment et délicieusement dans chaque assiette.

Si vous ne trouvez pas de digestive biscuits au rayon anglo-saxon
de votre supermarché, prenez des sablés et ajoutez une pincée de sel.

POIRES BELLE-HÉLÈNE

POUR 6 PERSONNES - 15 MINUTES DE PRÉPARATION

Ici, des arômes ont été rajoutés pour changer un peu de la recette
traditionnelle.. Le mélange poire/caramel/chocolat/café est excellent,
ainsi que le contraste des températures. J'utilise une glace
avec des petits morceaux de caramel pour donner un peu de croquant.

12 grosses poires
ou 12 petites en boîte
½ litre de glace au caramel
1 sauce chocolat-café
(voir variante recette page 36)

Déposez les poires dans des coupes, ajoutez la glace et
versez dessus la sauce chaude. Servez immédiatement.

ÎLES FLOTTANTES
AU CHOCOLAT

POUR 6 PERSONNES - 20 MINUTES DE PRÉPARATION - 15 MINUTES DE CUISSON

CRÈME ANGLAISE AU CHOCOLAT
50 cl de lait entier
60 g de chocolat noir
5 jaunes d'œufs
50 g de sucre

ÎLES FLOTTANTES
5 blancs d'œufs
30 g de sucre
Un peu de vergeoise
50 g de noisettes
ou d'amandes grillées
pour la décoration

Mettez le lait à chauffer, sans le laisser bouillir.
Fouettez les jaunes d'œufs au batteur électrique
avec le sucre jusqu'à ce que le mélange
blanchisse et double de volume.
Versez le lait presque à ébullition sur les jaunes
en remuant. Remettez cette crème sur un feu assez vif
en tournant sans cesse.
Faites cuire jusqu'à ce que la crème nappe
le dos de la cuillère.
Faites fondre le chocolat dans la crème
et laissez refroidir complètement avant de mettre
au réfrigérateur.
Montez les blancs en neige. Ajoutez le sucre
en continuant de battre.
Faites pocher des cuillerées de blancs d'œufs
dans une casserole d'eau frémissante pendant
1 minute environ. Égouttez et laissez refroidir.
Au moment de servir, versez de la crème
dans une coupelle et déposez une « île » ;
parsemez de vergeoise, de noisettes
ou d'amandes grillées et/ou caramélisées.

*Vous pouvez aussi faire cuire les blancs au micro-ondes. Posez les îles une par une
directement sur le plateau du four. Mettez-le presque au maximum et faites cuire
pendant 5 secondes jusqu'à ce que l'île gonfle légèrement.*

PETITS POTS
AU BAILEYS

POUR 6 À 8 PERSONNES · 5 MINUTES DE PRÉPARATION · 1 HEURE DE RÉFRIGÉRATION · 3 MINUTES DE CUISSON

200 g de chocolat noir
20 cl de crème fleurette
4 cuillerées à soupe de mascarpone
5 cuillerées à soupe de Baileys
Copeaux de chocolat
pour la décoration

Faites fondre le chocolat au micro-ondes ou au bain-marie.
Fouettez la crème et le mascarpone avant d'y incorporer le Baileys.
Versez la crème dans des récipients individuels, faites couler le chocolat fondu en tournant avec une petite cuillère afin de laisser des traces dans la crème, décorez de copeaux de chocolat et laissez refroidir 1 heure au réfrigérateur avant de servir.

TUILES AU GRANOLA
ET GRANITÉ DE CAFÉ

POUR 6 PERSONNES - 5 MINUTES DE PRÉPARATION - 5 HEURES DE RÉFRIGÉRATION

TUILES
Granola (voir la recette page 128)
200 g de chocolat noir

GRANITÉ
75 cl de café espresso très fort
150 g de sucre

Faites fondre le sucre dans le café et laissez refroidir complètement avant de placer le tout au congélateur dans un récipient en plastique. Toutes les heures pendant 5 heures, avec une fourchette, raclez le granité afin de casser les cristaux de café qui se seront formés.
Faites fondre le chocolat et posez des formes arrondies mais irrégulières de 10 cm de diamètre environ sur une feuille guitare ou du papier sulfurisé. Faites tomber des cuillerées de granola dessus et laissez durcir.
Servez les deux ensemble.

Il existe d'excellents sorbets au café et ou chocolat très amer si vous n'avez pas le temps de préparer le granité.

QUENELLES
AU CHOCOLAT

POUR 8 PERSONNES · 15 MINUTES DE PRÉPARATION · 8 HEURES DE RÉFRIGÉRATION · 3 MINUTES DE CUISSON

200 g de chocolat noir coupé
en petits morceaux
4 jaunes d'œufs
80 g de sucre en poudre
10 cl de lait entier
20 cl de crème fleurette

Battez les jaunes d'œufs avec le sucre jusqu'à
ce que le mélange blanchisse. Faites chauffer
le lait et la crème, versez sur les jaunes puis
faites cuire (comme pour une crème anglaise).
Lorsque le mélange épaissit, versez-le
sur le chocolat en remuant sans cesse.
Couvrez et laissez une nuit au réfrigérateur.
Formez des quenelles à l'aide de deux cuillères
à soupe et servez avec des fruits frais.

*Si la préparation de la crème anglaise vous effraie, vous pouvez aussi faire
des quenelles avec de la ganache : versez 25 cl de crème fleurette très chaude
sur 200 g de chocolat, mélangez bien afin d'obtenir une crème homogène
et laissez refroidir complètement toute une nuit au réfrigérateur avant de servir.*

POIRE RÔTIE
FARCIE DE PESTO AU CHOCOLAT

POUR 4 PERSONNES - 5 MINUTES DE PRÉPARATION - 15 MINUTES DE CUISSON

4 poires fermes, régulières,
et qui tiennent debout !
4 cuillerées à soupe de noix,
noisettes, pistaches, amandes,
noix de pécan, etc., mélangées
et hachées finement
4 cuillerées à soupe d'abricots
ou de raisins secs hachés finement
4 cuillerées à café de miel
50 g de beurre salé
4 cuillerées à soupe de pépites
de chocolat noir

Découpez un « chapeau » sur chaque poire,
ôtez le cœur et les pépins.
Mélangez tous les ingrédients, sauf le beurre,
afin de former une pâte épaisse.
Remplissez les poires en débordant largement,
posez un peu de beurre sur ce « pesto », reposez
le « chapeau » de la poire et faites rôtir au four
(180 °C) pendant 15 minutes environ.
Servez chaud avec une bonne glace à la vanille.

TATIN
BANANE-CHOCOLAT

POUR 6 À 8 PERSONNES - 15 MINUTES DE PRÉPARATION - 35 MINUTES DE CUISSON

150 g de sucre
80 g de beurre demi-sel
4 ou 5 bananes pas trop mûres
1 pâte feuilletée pur beurre
toute prête
100 g de chocolat noir râpé

Préchauffez le four à 190 °C.
De préférence, dans le plat de cuisson de la tatin, versez le sucre et répartissez-le sur toute la surface. Chauffez sur le feu. Lorsque le sucre fond et caramélise en prenant une belle couleur acajou, ôtez le plat du feu et ajoutez une noix de beurre, remuez bien. Coupez les bananes en morceaux de 2 à 3 cm de long et posez-les sur le caramel chaud. Posez la pâte sur les bananes et « bordez » les côtés autour des fruits.
Faites cuire 30 à 35 minutes jusqu'à ce que la pâte soit bien dorée. Sortez du four et laissez reposer 5 minutes avant de retourner la tarte sur le plat de service. Récupérez le caramel et les morceaux de banane qui seraient restés sur le fond du plat. Parsemez de chocolat et servez tout de suite avec de la glace ou de la crème fraîche.

Mélangez la banane avec de la mangue ou de l'ananas frais pour varier.

MILLE-FEUILLE
AU CHOCOLAT BLANC
ET AUX FRAMBOISES

POUR 4 PERSONNES - 30 MINUTES DE PRÉPARATION - 3 MINUTES DE CUISSON

200 g + 100 g de chocolat blanc
10 cl de crème fleurette
400 g de framboises fraîches
2 ou 3 cuillerées à soupe
de sucre glace

Faites fondre 200 g de chocolat, puis formez
12 rectangles (ou cercles) sur du papier sulfurisé
ou sur une feuille guitare. Laissez refroidir.
Afin d'obtenir une mousse, fouettez la crème
fleurette et incorporez délicatement le reste
de chocolat blanc fondu (100 g).
Pour monter le mille-feuille, posez 1 rectangle
de chocolat refroidi sur une assiette de service
puis, à l'aide d'une poche à douille, déposez
une couche de mousse. Placez un deuxième rectangle
de chocolat et pressez légèrement pour qu'il tienne
bien. Posez ensuite des framboises bien alignées
et coiffez d'un dernier rectangle de chocolat.
Saupoudrez de sucre glace avant de servir.

GÂTEAU « C'EST MOI QUI L'AI FAIT »
AUX MÛRES ET MYRTILLES

POUR 12 PERSONNES - 30 MINUTES DE PRÉPARATION - 35 MINUTES DE CUISSON

LA GÉNOISE
225 g de beurre très mou
ou de margarine
225 g de sucre
4 œufs
225 g de farine
3 cuillerées à soupe de cacao en
poudre mélangées avec 3 cuillerées
à soupe d'eau chaude
2 cuillerées à café de levure
chimique

LA GANACHE
30 cl de crème fleurette
300 g de chocolat noir

L'ENTOURAGE ET LE DÉCOR
200 g de chocolat noir
350 g d'un mélange de mûres
et de myrtilles ou de framboises
et de myrtilles

LA GÉNOISE
Faites chauffer le four à 180 °C. Beurrez
et farinez 2 moules à manqué.
Mettez tous les ingrédients de la génoise dans
un saladier et fouettez au batteur électrique jusqu'à
ce que le mélange soit bien homogène. Versez dans
les 2 moules et faites cuire 25 minutes. Le dessus
du gâteau doit être moelleux lorsque vous appuyez
avec votre doigt. Sortez du four, laissez refroidir
quelques minutes, puis démoulez sur une grille.

LA GANACHE
Préparez la ganache en portant la crème à ébullition
puis en la versant sur le chocolat coupé en petits
morceaux : la crème va faire fondre le chocolat.
Remuez afin d'obtenir un mélange lisse et brillant.
Fouettez ensuite avec un batteur électrique jusqu'à ce
que vous obteniez un mélange mousseux et froid.

LE MONTAGE DU GÂTEAU
Coupez les génoises en deux afin d'obtenir
4 disques. Étalez la ganache sur un disque,
posez le deuxième. Répétez l'opération 2 fois,
puis garnissez le dessus du gâteau avec le reste
de ganache. Mettez au réfrigérateur.

Tournez la page pour la suite de la recette...

GÂTEAU « C'EST MOI QUI L'AI FAIT »
AUX MÛRES ET MYRTILLES

SUITE ET FIN DE LA RECETTE

LE DÉCOR

Travaillez dans une pièce fraîche (18 à 19 °C) et sèche.
Avec une règle, mesurez la hauteur du gâteau.
Dans une feuille guitare ou de papier sulfurisé,
découpez une bande dont la largeur correspond
à la hauteur du gâteau et la longueur à un peu
plus que son tour complet (sa circonférence).
Afin de récupérer l'excédent de chocolat qui
déborderait, posez une deuxième feuille, non
découpée, sur un marbre ou une autre surface
froide et lisse, et la bande découpée par-dessus.
Faites fondre le chocolat au micro-ondes ou au
bain-marie. Versez le chocolat fondu sur la bande
et étalez-le régulièrement avec une spatule. Laissez
refroidir le chocolat, qui doit durcir légèrement.
Il ne doit pas couler mais rester assez souple pour
pouvoir épouser la forme du gâteau. Avec de l'aide,
de préférence, prenez la bande et collez-la, côté
chocolat, contre le gâteau, en appuyant légèrement.
Décorez le sommet du gâteau avec les framboises
ou les mûres et les myrtilles. Placez le gâteau
au réfrigérateur. Sortez-le une vingtaine de minutes
avant de servir ; ôtez la feuille juste avant de servir.

PAVLOVA AU CHOCOLAT,
CITRON VERT ET FRUITS DE LA PASSION

POUR 8 PERSONNES · 20 MINUTES DE PRÉPARATION · 1 HEURE DE CUISSON · 2 HEURES DE RÉFRIGÉRATION

LA MERINGUE
8 blancs d'œufs
300 g de cassonade
3 cuillerées à soupe de cacao
en poudre
1 cuillerée à café de vinaigre
de vin rouge

LA CRÈME
30 cl de crème fleurette
2 cuillerées à soupe de mascarpone
(facultatif)
Le jus de 5 fruits de la passion
Le jus et le zeste de 1 citron vert
2 cuillerées à soupe de sucre

Préchauffez le four à 150 °C.

LA MERINGUE
Battez les blancs en neige avec la moitié de la cassonade,
puis ajoutez lentement le reste, tout en battant.
Incorporez ensuite le cacao et le vinaigre et mélangez
très doucement afin d'obtenir un mélange homogène.
Posez la meringue sur un tapis en silicone ou du papier
sulfurisé en l'étalant en forme d'anneau.
Faites cuire pendant 1 heure, puis éteignez le four
et laissez refroidir complètement.

LA CRÈME
Fouettez la crème avec le mascarpone
(si vous l'utilisez), puis ajoutez le jus de citron
et de fruits de la passion et le zeste de citron.
Posez la crème au centre de la meringue.
Réservez au réfrigérateur jusqu'à la dernière
minute avant de servir.

CHEESE-CAKE
SANS CUISSON

POUR 8 PERSONNES - 25 MINUTES DE PRÉPARATION - 1 HEURE DE RÉFRIGÉRATION

Les mots « *no-bake* » ou « sans cuisson » ont une magie rien qu'à eux…

LA PÂTE
400 g de *digestive biscuits*
150 g de beurre demi-sel

LA GARNITURE
350 g de ricotta
350 g de mascarpone
3 cuillerées à soupe de liqueur
de chocolat ou de café
1 cuillerée à café d'extrait
de vanille
4 cuillerées à soupe de sucre glace
150 g de chocolat noir haché
150 g de chocolat noir haché
pour le décor

Écrasez les biscuits, mélangez-les avec
le beurre fondu, puis pressez-les dans le fond
d'un plat à tarte à fond amovible.
Battez la ricotta avec le mascarpone dans un saladier
à l'aide d'une cuillère en bois. Ajoutez le reste
des ingrédients sauf le chocolat, mélangez bien
puis mêlez légèrement le chocolat haché à la fin.
Remplissez la base de la tarte avec le mélange
de ricotta et mettez au congélateur 1 heure
afin que la crème soit prise mais pas solide.
Décorez avec le chocolat haché juste avant de servir.

GÂTEAU ESCARGOT

POUR 6 PERSONNES - 15 MINUTES DE PRÉPARATION - 2 HEURES DE REPOS - 2 MINUTES DE CUISSON

250 g d'escargots pralinés, plus
quelques-uns pour la déco
20 cl de crème fleurette fraîche
1 dizaine de *digestive biscuits*
80 g de beurre salé fondu

Écrasez les biscuits et mélangez-les au beurre
fondu. Pressez le mélange dans un moule
à fond amovible ou en silicone.
Portez la crème à ébullition et versez sur les escargots.
Laissez 1 minute, puis remuez afin d'obtenir une pâte
lisse. Versez sur la base biscuitée et laissez refroidir.
Décorer avec quelques escargots sur le dessus du gâteau.

PÂTE SABLÉE
AU CHOCOLAT

POUR UNE TARTE DE 28 CM DE DIAMÈTRE ENVIRON - 5 MINUTES DE PRÉPARATION - 2 HEURES DE RÉFRIGÉRATION

250 g de farine
100 g de sucre glace
1 pincée de sel
1 cuillerée à soupe de cacao
en poudre
200 g de beurre très froid
coupé en dés
2 jaunes d'œufs, légèrement battus
avec 1 cuillerée à soupe d'eau

LA PÂTE
Mettez tous les ingrédients dans un saladier
(sauf les jaunes d'œufs) et mélangez du bout des doigts
jusqu'à ce que le mélange ressemble à de la chapelure.
Vous pouvez aussi faire cette préparation dans un robot.
Creusez un puits au centre et ajoutez-y les jaunes
d'œufs. Mélangez avec une cuillère en bois puis
avec les mains afin de former une boule. Couvrez
de film alimentaire et placez au réfrigérateur
pendant au moins 2 heures avant son utilisation.

CUISSON À BLANC
Étalez la pâte et garnissez-en un moule.
Remplissez de noyaux de cuisson ou de haricots
rouges, de pois chiches, etc., et faites cuire entre
15 et 20 minutes au four préchauffé à 180 °C.

Équipez-vous de vrais noyaux de cuisson pour lester la pâte quand vous la cuirez à blanc.
Ils conduisent mieux la chaleur et cuisent la pâte plus uniformément. Vous gaspillerez également
moins de pois chiches ou de haricots rouges… et vous ne risquez pas de faire une mauvaise
surprise – un peu trop croquante – à vos invités, si vous en oubliez un au fond de la tarte…

TARTE
ABSOLUE

25 MINUTES DE PRÉPARATION - 1 HEURE DE REPOS - 5 MINUTES DE CUISSON

1 PÂTE SABLÉE AU CHOCOLAT
(voir la recette page 206)

LA COUCHE CHOCOLAT
150 g de chocolat noir

LA CRÈME AU CHOCOLAT
200 g de crème fleurette
300 g de chocolat noir
3 jaunes d'œufs
40 g de beurre

LA DÉCORATION
1 tapis en silicone ou 1 marbre
1 casserole à fond épais
(de préférence)
100 g de sucre
1 cuillerée à café de cacao
en poudre

LA COUCHE CHOCOLAT
Faites fondre le chocolat au micro-ondes ou
au bain-marie. Chemisez l'intérieur du fond de tarte
à l'aide d'un pinceau et laissez durcir complètement
avant de verser la crème au chocolat.

LA CRÈME AU CHOCOLAT
Faites chauffer la crème, versez sur le chocolat et
remuez bien. Incorporez ensuite les jaunes d'œufs et
le beurre. Versez sur le fond de tarte et laissez refroidir.

LA DÉCORATION
Faites fondre à feux très doux le sucre dans une casserole,
laissez-le caraméliser, ajoutez le cacao tamisé et
remuez bien avant de créer des formes sur le tapis
ou sur le marbre. Laissez durcir puis décorez la tarte.

TARTE AU CHOCOLAT PRALINÉ
ET CARAMEL AU CACAO

15 MINUTES DE PRÉPARATION - 2 MINUTES DE CUISSON

1 PÂTE SABLÉE
(voir la recette page 304)

LA CRÈME AU CHOCOLAT PRALINÉ
50 g de chocolat noir
250 g de gianduja (ou de chocolat
praliné en barres)
20 cl de crème fleurette

LA DÉCORATION
50 g de chocolat noir
1 cuillerée à soupe d'éclats de fèves
de cacao

Préparez une pâte sablée (voir la recette page 304).
Portez la crème à ébullition et versez-la
sur les deux chocolats. Remuez bien et étalez
sur le fond de tarte cuit. Laissez refroidir.
Faites fondre le chocolat, créez des formes
en éventail très fines sur du papier sulfurisé
ou sur une feuille guitare, parsemez de quelques éclats
de fèves et laissez refroidir avant de garnir la tarte.

TARTELETTES
AU CHOCOLAT BLANC

POUR 10 TARTELETTES OU 1 TARTE DE 30 CM - 25 MINUTES DE PRÉPARATION - 10 MINUTES DE CUISSON -
1 HEURE DE RÉFRIGÉRATION

PÂTE SABLÉE AUX AMANDES
(voir la recette page 308)
100 g de chocolat noir

CRÈME AU CHOCOLAT BLANC
1 feuille de gélatine alimentaire
150 g de chocolat blanc
1 jaune d'œuf
20 cl de crème fleurette
1 cuillerée à soupe d'eau
très chaude

PÂTE SABLÉE AUX AMANDES
Étalez la pâte sur votre plan de travail. Découpez des
cercles à l'aide d'un emporte-pièce, déposez les fonds
de tarte dans des moules à tartelette et faites cuire
à blanc (en lestant avec des noyaux de cuisson ou
des haricots secs) 10 minutes environ. Laissez refroidir
complètement. Démoulez les tartelettes. Faites fondre
le chocolat noir au micro-ondes ou au bain-marie et
versez-le dans une assiette creuse. Trempez les bordures
des tartelettes dans le chocolat puis laissez durcir
avant de garnir avec la crème au chocolat blanc.

CRÈME AU CHOCOLAT BLANC
Faites ramollir la gélatine dans de l'eau froide,
puis faites-la dissoudre dans de l'eau chaude.
Faites fondre le chocolat au micro-ondes ou au
bain-marie puis laissez légèrement refroidir avant
d'ajouter le jaune d'œuf et la gélatine. Laissez
refroidir complètement. Fouettez la crème fleurette,
incorporez-la au mélange au chocolat et garnissez
les fonds de tarte. Laissez prendre au réfrigérateur.

les **basiques**
du
caramel

♥

PRODUITS 216
ÉQUIPEMENT 218
POUR UN CARAMEL DUR MAIS FACILE 222
DÉCORS 226
FRUITS AU CARAMEL 230
AMANDES GRILLÉES ET CARAMÉLISÉES 232
SAUCE AU CARAMEL AU BEURRE SALÉ 234
DULCE DE LECHE FACILE 236
FONDUE AU CARAMEL 238
GLAÇAGE AU CARAMEL 240
GLAÇAGE CHOC FUDGE PRALINE 242
CRÈME PÂTISSIÈRE AU CARAMEL 244
CRÈME ANGLAISE AU CARAMEL 246
SAUCE AUX CARAMBAR® 248
TOFFEE SAUCE 250

PRODUITS

SUCRE

En morceaux ou en poudre, le blanc sera choisi pour réaliser votre caramel « classique ». Il vaut mieux toujours rajouter un peu d'eau, histoire de mieux répartir la caramélisation et d'éviter les cristaux, mais une fois le coup de main acquis, ça marche aussi avec le sucre en poudre sec. Les sucres bruts, de la cassonade cuivrée à la vergeoise en passant par le muscovado, contiennent déjà en eux-mêmes d'incroyables goûts caramélisés.

BEURRE

La multitude de beurres demi-sel, à la fleur de sel ou aux cristaux de sel qui s'offrent à nous, donne autant de variations de force salée à nos caramels. Attention à ne pas tomber dans l'excès : il s'agit juste d'une pointe qui vient soutenir le goût et souligner la douceur. Pour ceux qui ne se font pas au sucré-salé, prenez toujours le meilleur beurre doux que vous pouvez trouver, avec un bon goût prononcé.

CRÈME

Vous l'avez compris, la crème fleurette fraîche est mon ingrédient fétiche. La fleurette fraîche n'a pas le côté acide de la crème fraîche traditionnelle et contient moins de matières grasses. La crème UHT aura toujours ce petit goût « de barquette », mais c'est un substitut honorable si vous n'en trouvez vraiment pas de fraîche. Pour la rendre plus riche et onctueuse, je rajoute souvent du mascarpone, une base merveilleuse pour des textures soyeuses caramélisées. C'est dans la sauce au caramel au beurre salé (page 234) que le mascarpone montre avec brio tout ce qu'il sait faire.

ÉQUIPEMENT

TAPIS EN SILICONE

L'équipement qui rend le caramel accessible à tous. Vous pouvez faire couler l'or liquide directement dessus, le laisser refroidir et/ou durcir puis l'enlever sans qu'il colle. Cette matière magique est désormais disponible partout, en grande surface, dans les boutiques culinaires et de déco, par correspondance, à domicile et par téléshopping. Vous n'avez plus d'excuse. Même si vous ne disposez pas d'un tapis, le fond d'un moule souple fera l'affaire pour réaliser une petite quantité de caramel. Le papier sulfurisé constitue une alternative. Évitez de faire couler le caramel directement sur une plaque de fer. Seules les plaques très lourdes ne se plieront pas sous la chaleur (à plus de 300 °C quand même).
Une épaisseur professionnelle fonctionnera mais, franchement, rien ne vaut la souplesse et la facilité d'emploi d'un tapis en silicone.

UNE CASSEROLE À FOND LOURD

Une casserole à fond lourd ne basculera pas dangereusement et la chaleur se répartira mieux pendant la cuisson. Je possède deux ou trois casseroles à fond d'émail blanc qui sont très utiles pour visualiser la couleur du caramel.
Même quand j'ai besoin d'une toute petite quantité, j'utilise une casserole moyenne car je peux contrôler le processus plus facilement avec un peu plus de place.
Pour nettoyer, remplissez la casserole d'eau et laissez le sucre se dissoudre ; même lorsque j'ai vraiment « brûlé de chez brûlé » le caramel et la casserole (épaisse fumée noire dans toute la maison et magma noir qui gonfle et qui s'échappe de son récipient), j'ai toujours réussi à la récupérer.

Tournez la page pour la suite…

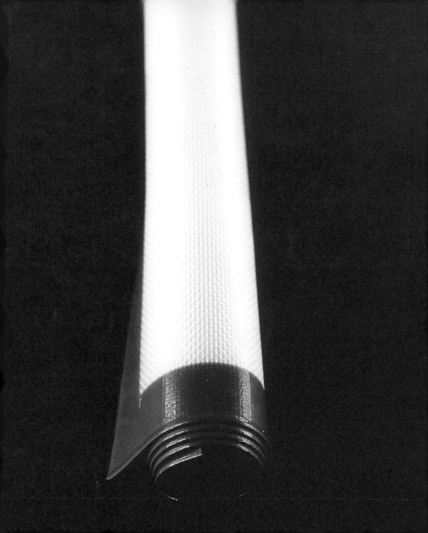

ÉQUIPEMENT

SUITE ET FIN

CUILLÈRE EN BOIS

Pas la peine d'essayer les spatules en plastique qui fondent ni les cuillères en métal qui vous envoient droit vers l'armoire à pharmacie et la boîte de sparadraps.

FER À CRÈME BRÛLÉE

Largement moins efficace que le chalumeau, mais toujours utile en cas de panne de gaz ou de nostalgie irréductible.

CHALUMEAU

Oubliez les fours qui ne chauffent pas assez avec leurs grilles soit trop basses, soit trop hautes. Avec un petit ustensile comme celui-ci, vous allez pouvoir réaliser des croûtes caramélisées sur vos crèmes brûlées, vos tartes et vos décors. Celui de la photo est très maniable. Bien entendu, après chaque utilisation, je le range très loin de mes enfants aux âmes de pyromanes.

PINCEAU

Peut-être la seule technique un peu « technique ». Lorsque le sucre est en train de cuire, surtout si vous souhaitez obtenir un caramel limpide, il faut essuyer les côtés de la casserole où se déposent des cristaux de sucre avec un petit pinceau humide. Sinon, un cristal va transformer le caramel en masse de sucre solide.

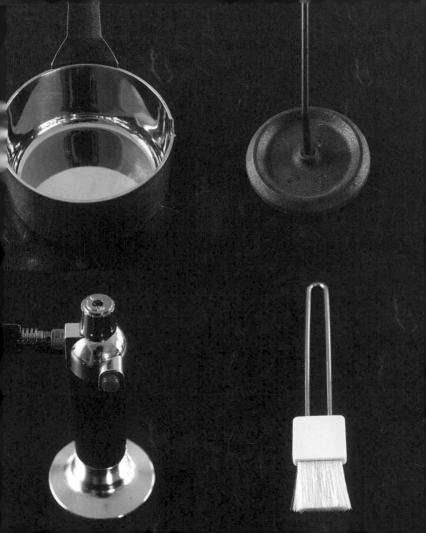

POUR UN CARAMEL DUR MAIS FACILE

FAIRE UN CARAMEL

Le sucre, comme la neige, est un cristal. Lorsqu'il fond, l'eau qu'il contient dans sa molécule le rend liquide. Le sucre chauffé se dissout ainsi en sirop. Lorsqu'il bout, l'eau s'évapore et le sucre commence à cuire, à se colorer. La chaleur casse la molécule et change le goût pur en dizaines de mini-goûts complexes pour notre plus grand bonheur. C'est le caramel. Plus il sera foncé, plus prononcé sera son goût. Attention : entre une profonde saveur ambrée et l'amertume envahissante d'un sucre brûlé, ce n'est qu'une question de secondes.

AVEC OU SANS EAU ?

Ayant vu un vrai chef réaliser son caramel sans filet (d'eau), j'avais voulu adopter la même technique. Aujourd'hui, et près de 200 casseroles plus tard, j'en suis revenue. Si vous êtes ne serait-ce qu'un tout petit peu distrait ou maladroit, mieux vaut rajouter une cuillerée à soupe d'eau avant de commencer. Vous aurez plus de temps et de souplesse dans la réussite de la cuisson, surtout si vous utilisez du sucre en morceaux. Bien entendu, je parle ici des caramels purs, de décor, ceux que l'on veut voir durcir, et non pas des recettes figurant plus loin.
Là, il faut respecter un poids de sucre et une quantité de liquide.
Pour un début sans histoire, comptez 1 cuillerée à soupe d'eau froide pour 50 g de sucre ; 100 g de sucre rendent environ 3 à 4 cuillerées à soupe de caramel. Essayez de répartir l'eau dans le sucre avant de commencer la cuisson. Il ne se dissoudra pas complètement, vous obtiendrez plutôt une pâte lisse et blanche. Chauffez doucement pour que le sucre se dissolve complètement puis laissez bouillonner, en essuyant les côtés de la casserole avec un pinceau humide si des cristaux s'y sont formés. Ce n'est pas systématique : avec un peu de chance, vous réussirez un caramel pur à chaque fois mais le sucre aime bien se recristalliser. Dans ce cas, vous vous retrouverez très vite avec une masse de cristaux très difficile à travailler et inutilisable pour réaliser des décors transparents.

Tournez la page pour la suite…

POUR UN CARAMEL DUR MAIS FACILE

SUITE ET FIN

ÇA BOUILLONNE

Une fois que le sirop bouillonne gentiment, il faut surveiller. N'entreprenez rien d'autre en cuisine pendant ces quelques minutes, ce serait le désastre assuré. Moi et le plafond de ma cuisine savons de quoi nous parlons. Le caramel commencera à prendre à partir du sirop qui touche les parois de la casserole. À ce moment, s'il fume et prend aussitôt une couleur très foncée, tournez doucement la casserole pour mieux répartir les points de cuisson. C'est votre seule intervention à ce stade. Faites très attention de ne pas vous brûler. Ne touillez en aucun cas le caramel, sinon il cristallisera. Ensuite, c'est à vous de jouer. D'un léger ton doré à une couleur acajou en passant par une teinte ambrée, votre caramel vous en fera voir de toutes les couleurs. Ne vous fiez qu'à la couleur car il est impossible de goûter à ce stade, bien entendu ! Sachez qu'il continuera à cuire même écarté de la source de chaleur. Donc, prudence.

C'EST CUIT

Pour arrêter la cuisson, vous pouvez plonger la casserole dans une bassine d'eau. Personnellement, je préfère simplement attendre un peu : avec la technique de l'eau froide, je me retrouve toujours avec un fond durci et un caramel trop vite inutilisable. Cela dit, il est très docile et se laissera liquéfier de nouveau à chaleur très douce. Et voilà, à vous l'or liquide ! Une matière sublime et maniable à l'infini ! Voici quelques idées faciles à réaliser même par les plus maladroits et les cuisiniers en mal d'inspiration.

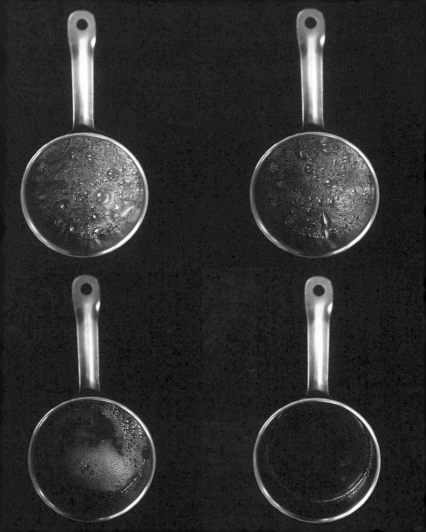

DÉCORS

À vrai dire, il est plus facile de se lancer dans les décors au caramel sans idée précise. Selon sa température et sa fluidité, le caramel peut en effet prendre des formes très aléatoires. Ce qui est sûr, c'est que vos décors seront toujours beaux, qu'ils soient irréguliers ou que votre caramel soit un peu raté. Attention à l'humidité : elle gâcherait très rapidement vos œuvres. Ne commencez pas trop tôt avant de servir et ne soyez pas trop exigeant sur les résultats pendant les après-midis pluvieux. Pour le procédé du caramel, voir page 222.

SPIRALES
Coulez de longues lignes sur le tapis en silicone. Lorsque le caramel est encore maniable, mais pas trop chaud, enroulez-le autour du manche d'une cuillère en bois (de préférence pas tordue !). Laissez durcir, puis retirez délicatement.

NIDS
La règle veut que l'on coule des traînées de caramel en zigzaguant sur le fond d'un bol, couvert de papier alu. À chaque fois, mon joli nid a cassé lorsque j'essayais de le retirer. Peut-être serez-vous moins maladroit que moi. Ma technique maintenant, c'est de faire le même zigzag dans un rond imaginaire sur le tapis en silicone puis, alors que le caramel est encore chaud, de remonter les bords pour faire un nid.

FORMES DÉCOUPÉES
Pour la marguerite ci-contre, j'ai coulé une petite flaque de caramel sur le tapis. Ensuite, avec un petit outil marocain destiné à faire des dessins sur des gâteaux secs, j'ai appuyé sur le caramel, encore légèrement mou.
Pour des formes d'emporte-pièces, il suffit de couler le caramel au milieu, puis d'attendre qu'il durcisse avant de le sortir doucement de l'intérieur en appuyant avec le pouce.

Tournez la page pour la suite…

DÉCORS

SUCETTES ET ROUDOUDOUS
Coulez des petits ronds de caramel puis pressez des bâtonnets de sucette au milieu pendant qu'il est encore mou. Ajoutez des morceaux de fruits secs, de noisettes ou coloriez le caramel avec quelques gouttes de colorant alimentaire.

ÉCRITURE
Faites couler le caramel depuis le bout d'une petite cuillère. Commencez avec des lettres séparées puis lancez-vous dans la calligraphie sucrée !

CARAMEL TIRÉ
Ici, le timing est essentiel, et la période de consistance parfaite du caramel assez courte. Néanmoins, c'est vraiment la forme la plus spectaculaire, presque de la barbe à papa en or. Une technique est de couper les bouts d'un fouet en métal et de laisser le caramel tomber en fils très fins au-dessus d'un tapis en silicone. Vous pouvez aussi utiliser une fourchette ou simplement les doigts et tirer le caramel, puis le laisser tomber sur le tapis. La production sera moins importante. Il suffit de réchauffer doucement le caramel et de recommencer.

ÉCHARDES ET POUDRE D'OR
Cassé en mille morceaux, réduit en poudre, le caramel sera toujours magnifique !

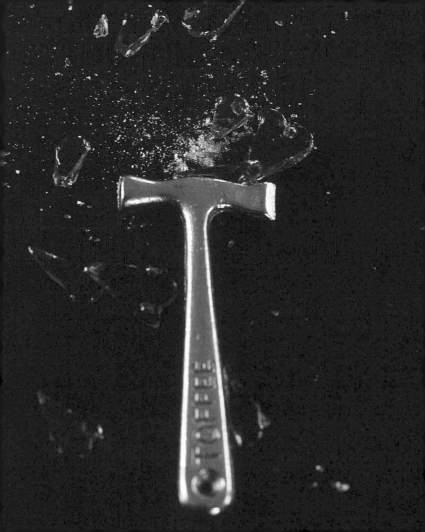

FRUITS AU CARAMEL

Le caramel embellira même un fruit un peu disgracieux. Profitez-en pour créer des décors de gâteaux ou de desserts, ou servez-les en fin de repas comme une alternative à la salade de fruits jolie jolie. C'est une sensation très agréable que de croquer à travers le sucre une chair bien juteuse en-dessous.
Choisissez plutôt des fruits de saison et évitez d'avoir à découper des tranches. Des fraises, des cerises et des raisins seront parfaits, ainsi que des segments de clémentines.
Pour obtenir de longs et jolis fils de caramel, tirez les fruits doucement vers le haut en les sortant de la casserole puis laissez durcir doucement le caramel qui coule. Plus facile avec des cerises, certes, qu'avec des fraises qui, elles, seront piquées d'un bâtonnet ou d'une fourchette.

AMANDES GRILLÉES
ET CARAMÉLISÉES

POUR 6 TUILES · 3 MINUTES DE PRÉPARATION · 2 MINUTES DE CUISSON

150 g d'amandes effilées, hachées
ou en bâtonnets
2 cuillerées à soupe de sirop
de sucre de canne
1 cuillerée à soupe de sucre glace

Préchauffez le four à 180 °C.
Mélangez le sirop avec les amandes.
À l'aide d'un emporte-pièce, d'un cercle ou juste
avec le dos d'une cuillère, déposez des ronds
sur un tapis en silicone ou sur du papier sulfurisé.
Parsemez de sucre glace et faites griller
pendant 2 minutes environ jusqu'à ce que
les amandes soient bien dorées.
Sortez du four, redonnez une forme si nécessaire
pendant que le caramel est encore liquide puis
laissez refroidir et durcir complètement.
Réservez vos préparations dans un récipient hermétique
si vous souhaitez les servir le lendemain. Il vaut toujours
mieux les préparer seulement quelques heures avant
le repas car elles risqueraient de prendre l'humidité
de la pièce et de se ramollir.

Pour de jolies formes irrégulières, mettez simplement une couche d'amandes
sur le tapis, laissez refroidir et durcir puis cassez-la en morceaux.

SAUCE AU CARAMEL
AU BEURRE SALÉ

POUR 4 PERSONNES - 10 MINUTES DE CUISSON

Grâce à cette recette, vous disposerez de caramel mou pour la vie entière ! Froide, cette sauce sert de base pour des tartes, des pâtes à tartiner ou à dipper. Chaude, elle garde sa merveilleuse onctuosité sur des glaces, des gâteaux ou tout simplement en fondue.

100 g de sucre
2 cuillerées à soupe d'eau
50 g de beurre salé
1 cuillerée à soupe bombée
de mascarpone

Préparez un caramel avec un tout petit peu d'eau (voir la recette page 222). Hors du feu, ajoutez le beurre. Le caramel « crachera » et durcira par endroits : rien de grave ! Ajoutez le mascarpone et remuez bien. Remettez la sauce sur le feu pour dissoudre des cristaux qui resteraient. Servez chaud ou laissez refroidir.
La sauce se garde au réfrigérateur pendant 4 ou 5 jours.

Ici, le mascarpone prend toute sa dimension de base fluide et crémeuse pour notre plus grand plaisir.

eer...

a family
to care for...

t it all!

© Anne Tainfor

DULCE DE LECHE FACILE

Ce n'est pas vraiment de la triche car, après tout, on caramélise le sucre dans le lait concentré. Il s'agit de se faciliter la vie en utilisant la texture ultra-onctueuse du lait. Ensuite, à vous le Banoffee pie (voir la recette page 302) ! Attention aux explosions et aux éclaboussures.

1 boîte de lait concentré sucré type Nestlé®

Immergez bien la boîte – fermée – dans une casserole d'eau et laissez mijoter pendant 3 à 4 heures en ajoutant fréquemment de l'eau dans le récipient.

FONDUE
AU CARAMEL

200 g de sucre
4 cuillerées à soupe d'eau
100 g de beurre salé
2 cuillerées à soupe bombées
de mascarpone

La recette est identique à celle de la recette de la sauce au caramel au beurre salé page 234. Seules les proportions sont doublées.
Servez la fondue avec des fruits secs et frais, des biscuits, des chocolats, tout ce qui pourrait se marier avec le caramel et se laisser piquer par des petites fourchettes !

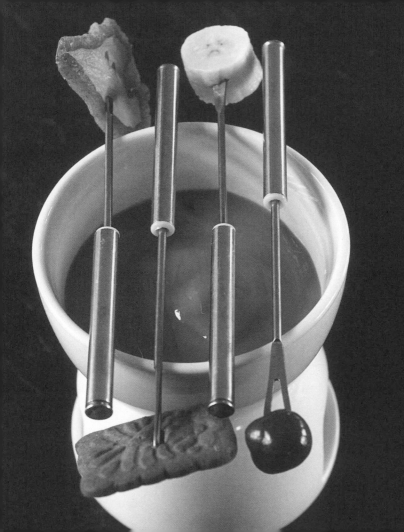

GLAÇAGE
AU CARAMEL

POUR UN GRAND GÂTEAU OU UNE VINGTAINE DE PETITS GÂTEAUX - 10 MINUTES DE PRÉPARATION

300 g de sucre glace tamisé
75 g de beurre en pommade
4 ou 5 CARAMBARS® ou caramels
fondus dans 3 ou 4 cuillerées
à soupe de crème fleurette fraîche
et refroidie

Mettez tous les ingrédients dans le bol
de votre mixeur et battez afin d'obtenir
une pâte homogène. Laissez refroidir et durcir,
si nécessaire, avant de glacer les gâteaux.

GLAÇAGE CHOC
FUDGE PRALINE

POUR L'INTÉRIEUR ET LE GLAÇAGE D'UN GÂTEAU DE 22 CM DE DIAMÈTRE ENVIRON · 10 MINUTES DE PRÉPARATION ·
6 MINUTES DE CUISSON

Vous avez dit riche ? Vous avez dit décadent ? Couvrez de ce glaçage votre gâteau préféré, qu'il soit à la vanille, au chocolat, aux noisettes ou au café, et rendez-vous au paradis caramélisé.

250 g de – bons – chocolat noir
et chocolat au lait mélangés
110 g de pâte de praline lisse
50 g de beurre
2 cuillerées à soupe d'eau

Placez tous les ingrédients dans un bol et faites-les chauffer soit tout doucement au micro-ondes, soit au bain-marie. Remuez le glaçage pour qu'il soit bien brillant et laissez-le durcir un tout petit peu pour qu'il ne coule pas sur les parois du gâteau. Si vous le voulez, coupez votre gâteau en deux dans sa largeur et étalez un peu de glaçage sur une moitié. Posez la seconde moitié puis glacez les côtés et le dessus du gâteau, de préférence avec une spatule coudée, ou avec un couteau grand et large. Exprimez-vous : faites des motifs dans le glaçage ou laissez-le tout lisse.

CRÈME PÂTISSIÈRE
AU CARAMEL

POUR 2 FONDS DE TARTE DE 24 CM ENVIRON - 10 MINUTES DE PRÉPARATION - 5 MINUTES DE CUISSON

15 cl de crème fleurette fraîche
15 cl de lait entier
25 g de sucre
4 jaunes d'œufs
1 ½ cuillerée à soupe de farine tamisée
100 g de sucre
2 cuillerées à soupe d'eau

Battez 25 g de sucre avec les jaunes d'œufs et la farine jusqu'à ce que le mélange blanchisse et double de volume.
Portez le lait avec la crème à ébullition.
Préparez un caramel avec le sucre et l'eau.
Ôtez du feu et versez la crème chaude sur le caramel.
Remuez bien et remettez sur le feu pour faire dissoudre les grumeaux de sucre qui pourraient se former.
Versez cette crème sur les jaunes d'œufs en remuant énergiquement. Remettez le tout dans la casserole, portez à ébullition puis laissez frémir 1 minute en remuant sans cesse avec une cuillère en bois jusqu'à ce que la crème devienne bien épaisse.
Laissez refroidir complètement avant de garnir les fonds de tarte.

CRÈME ANGLAISE
AU CARAMEL

POUR 6 À 8 PERSONNES - 10 MINUTES DE PRÉPARATION - 10 MINUTES DE CUISSON

30 cl de crème fleurette fraîche
30 cl de lait entier
30 g de sucre
5 jaunes d'œufs
100 g de sucre
2 cuillerées à soupe d'eau

Battez les jaunes avec 30 g de sucre jusqu'à ce que le mélange épaississe, blanchisse et double de volume. Dans une autre casserole, préparez un caramel avec le sucre et l'eau. Hors du feu, ajoutez la crème et le lait. Remettez sur le feu pour faire fondre les grumeaux de sucre qui se sont peut-être formés. Versez la crème caramélisée sur les jaunes en fouettant constamment. Remettez le tout dans la casserole et cuisez en remuant sans cesse jusqu'à ce que la crème devienne épaisse. Ôtez du feu en fouettant encore et laissez refroidir complètement avant de servir.

Les règles de tricherie valables pour la glace s'appliquent aussi à cette recette.
Vous pouvez aromatiser votre propre crème anglaise avec du caramel liquide tout fait ou préférer
une crème anglaise achetée si vous n'avez vraiment plus le temps (ou plus d'œufs).

SAUCE
AUX CARAMBAR®

POUR 4 PERSONNES - 10 MINUTES DE CUISSON

8 cuillerées à soupe de crème
fleurette fraîche
8 CARAMBAR®

Il faut compter une cuillerée à soupe de crème
fleurette fraîche par CARAMBAR® pour une sauce
convenablement épaisse quand elle est chaude,
ou super onctueuse quand elle est froide.
Il faut chauffer très doucement la crème
et les CARAMBAR® dans une casserole antiadhésive
si possible. Une fois refroidie, vous pouvez aussi en faire
une mousse en la fouettant avec un batteur électrique,
ou la turbiner pour en faire une crème glacée.

*Vous pouvez, bien sûr, remplacer les CARAMBAR® par toute autre
variété de caramel. Ils fondront tout aussi bien.*

TOFFEE
SAUCE

POUR 6 PERSONNES - 10 MINUTES DE CUISSON

C'est une excellente base pour des desserts de dernière minute.
Gardez toujours une bonne glace à la vanille ou au caramel au beurre
salé dans votre congélateur. Une fois que vous serez également équipé
en sucre vergeoise ou en muscovado bien brun et goûteux, vous pourrez
essayer toutes les variantes.

120 g de beurre
120 g de sucre muscovado
ou de vergeoise brune
150 ml de crème fleurette fraîche

Placez tous les ingrédients dans une casserole et
faites-les fondre ensemble en remuant constamment.
Faites mijoter quelques minutes jusqu'à ce que
la sauce épaississe et devienne plus foncée.

VARIANTES
Lorsque la sauce a épaissi, hors du feu, ajoutez du
chocolat noir, des zestes d'orange avec du Grand
Marnier, de la pâte de praline avec un peu de café
fort, du beurre de cacahuète, du sirop d'érable
ou de l'extrait de vanille. À vous de jouer !

Lorsque la sauce sera froide, une couche de beurre se formera.
Ne l'enlevez pas ! Il suffit de réchauffer doucement de nouveau.

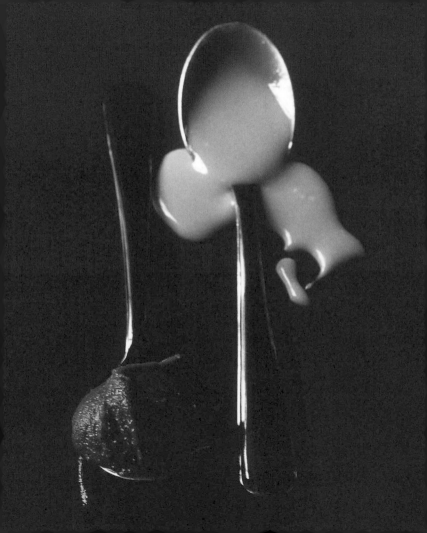

Goûters
au
caramel

MOCHA VIENNOIS AU CARAMEL...254

CUILLÈRES AU CARAMEL POUR TOUILLER.................................256

LES CÉLÈBRES CARAMELS AU CHOCOLAT ET AU MIEL DE MARTINE.........258

FUDGE 260

BÂTONNETS AU TOFFEE ET GUIMAUVE....................................262

CŒUR DE BEURRE FOURRÉ AU CHOCOLAT AU LAIT 264

BEIGNETS IMPRÉGNÉS À LA POMME ET AU CARAMEL 266

GÂTEAU AU CHOCOLAT AU LAIT, SPÉCULOOS ET BUTTERSCOTCH 268

FLAPJACKS AU MIEL 270

GOLDEN SYRUP CAKE, BEURRE AU GOLDEN SYRUP ET AU CITRON........272

« DÉLICE DES ANGES » BUTTERSCOTCH....................................274

MOCHA VIENNOIS
AU CARAMEL

25 cl de lait frais entier
20 cl de crème fleurette fraîche
50 g de chocolat au lait (mais
seulement du bon, à plus de 35 %
de cacao, sinon il faut le mixer
avec du noir)
caramel liquide tout prêt
1 café expresso bien fort

Mettez 15 cl de crème avec le lait dans une
casserole et chauffez doucement. Mettez-y
le chocolat et remuez jusqu'à ce qu'il soit fondu.
Versez ensuite le caramel et l'expresso puis coiffez
du reste de crème que vous aurez battu.

CUILLÈRES AU CARAMEL
POUR TOUILLER

Préparez un caramel (voir la recette page 222) et faites de longues formes
de cuillères sur un tapis en silicone. Au moment de servir le café, posez
une cuillère dans chaque tasse. Le caramel s'y dissoudra doucement.
Vous pouvez aussi couvrir de caramel puis de chocolat le bout d'une vraie cuillère
ou faire des formes de petites cuillères et en napper l'extrémité de la même façon.

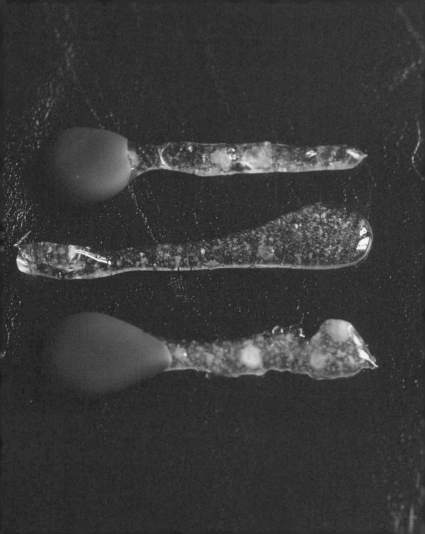

LES CÉLÈBRES CARAMELS
AU CHOCOLAT ET AU MIEL DE MARTINE

POUR 40 CARAMELS - 20 MINUTES DE CUISSON

Dans le petit monde de la Bretesche, à Missillac, la nouvelle se répand très vite lorsque Martine se met à faire ses caramels. Les plus malins vont carrément chez elle récupérer en avant-première les petits côtés du moule qui sont restés hors des carrés, encore un peu chauds et mous. Les autres attendront un goûter, un dîner, mais le plus souvent la prochaine fournée…

15 morceaux de sucre (100 g)
250 g de bon chocolat noir
coupé en morceaux
1 noix de beurre salé
1 verre de lait demi-écrémé
1 cuillerée à soupe de miel

Éclaboussez les morceaux de sucre d'un tout petit peu d'eau. Chauffez-les doucement pour qu'ils fondent et qu'un sirop se forme. Portez à ébullition et ajoutez le chocolat cassé en morceaux. Remuez bien. Versez ensuite le verre de lait en touillant bien, portez à ébullition et laissez frémir en remuant constamment avec une cuillère en bois. Ajoutez la noix de beurre et le miel puis faites frémir 10 à 15 minutes de plus sans cesser de remuer, en raclant bien les côtés et le fond de la casserole pour que le caramel ne colle pas trop.
Le caramel va épaissir assez rapidement sur la fin. Battez-le bien à ce moment-là et testez sa consistance en le regardant tomber de la cuillère. Lorsque le caramel ne tombe plus de la cuillère ou très lentement, versez-le dans le moule, pressez le dessus du moule pour faire des carrés et attendez une petite heure pour que les caramels soient prêts. Dégustez.

FUDGE

POUR 20 BOUCHÉES ENVIRON · 30 MINUTES DE CUISSON

Le fudge, ou « tablet » en Écosse, est une sorte de caramel au beurre cristallisé qui se casse merveilleusement sous la dent avant de fondre sur la langue. Sachez qu'il se mérite car il exige tout de même 10 minutes de battage intensif !

500 g de sucre
60 g de beurre salé
3 ½ cuillerées à soupe
de lait concentré
170 ml d'eau

Beurrez un plat à gratin moyen.
Placez tous les ingrédients dans une grande casserole puis chauffez jusqu'à ce que le beurre et le sucre soient complètement dissous.
Portez à ébullition en remuant constamment pour que le fudge ne colle pas au fond de la casserole.
Faites mijoter pendant 10 minutes environ. Il faut que le mélange soit épais et que la couleur soit passée du blanc à un beau caramel doré.
Ôtez la casserole du feu et laissez-la refroidir pendant 5 minutes environ.
Battez le fudge énergiquement avec une cuillère en bois pendant 5 à 10 minutes encore.
Il commencera à durcir.
Avant qu'il ne soit trop dur, transférez-le dans le plat à gratin où il continuera à durcir.
Avant qu'il ne soit complètement durci, coupez-le en bouchées puis laissez-le refroidir.

BÂTONNETS AU TOFFEE
ET GUIMAUVE

POUR UNE VINGTAINE DE BÂTONNETS - 5 MINUTES DE CUISSON - 1 HEURE ENVIRON DE REPOS

120 g de beurre
120 g de marshmallows
120 g de caramels
type CARAMBAR®
200 g de Rice Krispies®

Faites fondre les caramels, les marshmallows
et le beurre ensemble.
Lorsque le mélange est parfaitement homogène
et lisse, versez-le sur les céréales placées
dans un grand saladier, puis mélangez bien.
Mettez le tout dans un moule souple si possible,
sinon légèrement beurré, de 25 cm de diamètre environ.
Laissez refroidir complètement. Lorsque le biscuit
est froid, coupez-le en bâtonnets.

CŒUR DE BEURRE
FOURRÉ AU CHOCOLAT AU LAIT

POUR 4 PERSONNES - 5 MINUTES DE PRÉPARATION - 10 MINUTES DE REPOS - 3 MINUTES DE CUISSON

8 gâteaux *Cœur de beurre* (sablés fourrés au caramel au beurre salé)
150 g de chocolat au lait
1 cuillerée à soupe de crème fleurette fraîche

Faites fondre tout doucement la crème avec le chocolat au lait soit au bain-marie, soit au micro-ondes. Remuez bien pour que la ganache soit bien lisse, puis laissez refroidir. Étalez une cuillerée sur quatre *Cœur de beurre*, puis recouvrez avec les quatre autres, comme pour faire des « sandwichs ».

BEIGNETS IMPRÉGNÉS
À LA POMME ET AU CARAMEL

POUR 6 PERSONNES - 5 MINUTES DE PRÉPARATION - 10 MINUTES DE CUISSON

Une petite activité manuelle et gourmande pour les enfants.
Préparez la sauce caramel vous-même mais la compote de pommes
est parfaitement à la portée des 7-8 ans.

12 mini-beignets tout faits
4 pommes Boskoop
1 bol de sauce au caramel
au beurre salé de la page 234
1 pipette (celle d'un flacon de sirop,
rincée, par exemple)

Épluchez les pommes et faites-les compoter
pendant 10 minutes environ avec un peu
d'eau. Réduisez en purée fine dans un blender
et laissez refroidir complètement.
Creusez des puits dans les beignets avec un couteau.
Avec la pipette, mettez un peu de caramel
puis un peu de compote de pommes. Dégustez.

GÂTEAU AU CHOCOLAT AU LAIT,
SPÉCULOOS ET BUTTERSCOTCH

POUR 8 À 10 PERSONNES · 20 MINUTES DE PRÉPARATION · 10 MINUTES DE CUISSON · 2 HEURES DE RÉFRIGÉRATION

Entre 125 et 150 g de biscuits
spéculoos
4 figues séchées, hachées
très finement
4 dattes *medjool* hachées
très finement
2 cuillerées à soupe
de raisins blonds
60 g de beurre salé fondu
200 g de chocolat au lait
15 cl de crème fleurette fraîche
2 paquets de bonbons
Werthers Originals

Écrasez les gâteaux puis mélangez-les aux fruits secs
et au beurre fondu. Pressez ce mélange au fond d'un
moule souple de 22 cm de diamètre environ. Placez-le
au réfrigérateur pour laisser refroidir et durcir sa base.
Portez la crème à ébullition puis versez-la sur le chocolat
au lait cassé en petits morceaux. Remuez bien jusqu'à
ce que le mélange soit bien lisse. Versez le chocolat
au lait sur la base biscuitée et laissez durcir
de nouveau au réfrigérateur pendant 2 heures environ.
Juste avant de servir, parsemez le gâteau de miettes
de bonbons Werthers Originals écrasés avec un rouleau
à pâtisserie. Mieux vaut réaliser cette opération
en les enveloppant au préalable dans un torchon.

FLAPJACKS
AU MIEL

POUR 1 DOUZAINE DE CARRÉS - 15 MINUTES DE PRÉPARATION - 25 MINUTES DE CUISSON

250 g de sucre
250 g de beurre salé
175 g de Golden Syrup
425 g de flocons d'avoine
2 cuillerées à soupe
d'amandes effilées
3 ou 4 cuillerées à soupe de miel

Préchauffez le four à 180 °C.
Mettez le beurre, le sirop et le sucre dans une casserole puis chauffez ensemble en remuant avec une cuillère en bois jusqu'à ce que le beurre fonde. Hors du feu, ajoutez les flocons d'avoine et les amandes. Mélangez bien.
Versez le mélange dans un moule carré de 20 cm de côté environ et enfournez pendant 25 minutes. Attention, le milieu doit être encore très mou, les biscuits vont beaucoup durcir en refroidissant. Sortez du four et refroidissez presque complètement avant d'étaler le miel à la surface des biscuits. Coupez en carrés.

GOLDEN SYRUP CAKE,
BEURRE AU GOLDEN SYRUP ET AU CITRON

POUR 6 PERSONNES - 5 MINUTES DE PRÉPARATION

Ce gâteau est une institution outre-Manche. Moelleux et sucré, il semble être imbibé du merveilleux Golden Syrup. Servez avec un bon thé – le dimanche vers 17 heures – un peu grillé avec ce beurre qui fondra juste le temps de dévorer une tranche.

1 gâteau Golden Syrup rapporté d'un week-end à Londres
100 g de bon beurre salé
Le zeste de 1 citron
1 cuillerée à soupe de sucre cassonade
1 cuillerée à soupe de Golden Syrup

Faites ramollir le beurre et mélangez-le avec le sucre et le zeste de citron. Ajoutez le Golden Syrup en essayant de laisser des traînées dorées à travers le beurre.
Au moment de servir, étalez le mélange sur des tranches de gâteau, tiède ou froid.

« DÉLICE DES ANGES »
BUTTERSCOTCH

POUR 6 SHORTBREADS · 5 MINUTES DE PRÉPARATION · 10 MINUTES DE REPOS

Le « délice des anges » est un dessert en poudre en sachet qui existe dans des dizaines de variétés dont le butterscotch. Il a un goût de toffee, certes, mais aussi un petit côté malté, presque de levure, presque de café… délicieux ! Marié à du bon shortbread au sucre Demerera et un peu de fudge, voici une combinaison british, totale triche, certes, mais irrésistible.

1 paquet d'*Angel Delight*® goût butterscotch
25 cl de lait demi-écrémé
3 ou 4 morceaux de fudge
6 ronds de *shortbread* au sucre Demerera (dans les rayons british des supermarchés)

Suivez les instructions figurant sur le paquet d'*Angel Delight*®. Battez-le dans du lait très frais puis laissez-le reposer 10 minutes pour qu'il « prenne ». Placez une cuillerée sur un morceau de *shortbread* et décorez d'un peu de fudge.

Desserts
pour tous
les jours

♥

GLACE AU CARAMEL AU BEURRE SALÉ..278
MINI-BANANA SPLITS CARAMÉLISÉS 280
MOUSSE AU CHOCOLAT AU LAIT ET CARAMEL AU BEURRE SALÉ 282
SOUPE DE POMMES AU MEILLEUR CARAMEL
AU BEURRE SALÉ DU MONDE ENTIER 284
CRÊPES SUZETTE...286
PAIN PERDU AU CARAMEL 288
RIZ AU LAIT CARAMÉLISÉ, PRUNEAUX À LA LIQUEUR D'ORANGE 290
PETITS POTS AU CARAMEL 292
CRÈME BRÛLÉE...294

GLACE AU CARAMEL
AU BEURRE SALÉ

POUR 6 PERSONNES

Aujourd'hui, nous avons un choix formidable dans les supermarchés de glaces aux thèmes caramélisés. Le moment est peut-être venu d'essayer de les réaliser nous-mêmes. Comme d'habitude, vous les servirez juste turbinées. C'est tout l'intérêt de la glace faite maison.

50 cl de crème fleurette fraîche
30 g de sucre pour la crème
5 jaunes d'œufs
100 g de sucre pour le caramel
50 g de beurre salé

Battez les jaunes avec 30 g de sucre jusqu'à ce que le mélange épaississe, blanchisse et double de volume. Portez à ébullition 30 cl de crème fleurette et versez-la sur les jaunes en fouettant constamment. Remettez le tout dans la casserole et cuisez jusqu'à ce que la crème devienne très épaisse. Ôtez du feu en fouettant encore puis laissez refroidir. Dans une autre casserole, préparez un caramel avec le sucre et un tout petit peu d'eau. Hors du feu, ajoutez le beurre puis les 20 cl de crème restante. Remettez sur le feu pour faire fondre les grumeaux de sucre qui pourraient s'être formés. Mélangez les deux crèmes. Laissez complètement refroidir avant de turbiner. Servez dès la sortie de la machine à glace.

MINI-BANANA
SPLITS CARAMÉLISÉS

POUR 4 PERSONNES - 3 MINUTES DE PRÉPARATION - 5 MINUTES DE CUISSON

4 mini-bananes
20 g de beurre
1 cuillerée à soupe de sucre
50 g de chocolat noir
4 boules de glace à la vanille
4 cuillerées à soupe de noix
de pécan écrasées

Faites fondre le chocolat au bain-marie
ou au micro-ondes. Réservez.
Sortez la glace du congélateur puis préparez
vos assiettes et les noix de pécan.
Épluchez les bananes, coupez-les en deux dans leur
longueur et faites-les revenir dans le beurre en ajoutant
le sucre pour les caraméliser un peu. Attention : ne les
cuisez pas trop longtemps, elles perdraient leur forme.
Préparez les assiettes avec une boule de glace,
les bananes, la sauce au chocolat et les noix
de pécan hachées.

MOUSSE AU CHOCOLAT AU LAIT
ET CARAMEL AU BEURRE SALÉ

POUR 6 PERSONNES - 10 MINUTES DE PRÉPARATION - 20 MINUTES DE CUISSON - 4 À 5 HEURES DE REPOS

100 g de sucre
2 cuillerées à soupe d'eau
30 g de beurre salé
20 cl de crème fleurette
200 g de chocolat au lait à 38 %
de cacao minimum, cassé ou coupé
en petits morceaux (Nestlé dessert
au lait, c'est très bien)
3 œufs, blancs et jaunes séparés

Préparez un caramel avec le sucre (voir la recette page 222). Hors du feu, ajoutez le beurre salé et la crème puis chauffez de nouveau afin d'obtenir un caramel bien lisse.
Laissez refroidir un peu avant d'ajouter le chocolat coupé en morceaux. Mélangez bien et laissez refroidir de nouveau.
Ajoutez les jaunes d'œufs. Montez les blancs en neige et incorporez-les délicatement au mélange chocolaté. Versez dans le ou les moules et laissez reposer pendant au moins 4 ou 5 heures.

Elle est encore meilleure préparée la veille pour le lendemain.

SOUPE DE POMMES
AU MEILLEUR CARAMEL AU BEURRE SALÉ DU MONDE ENTIER

POUR 6 PERSONNES - 5 MINUTES DE PRÉPARATION - 2 MINUTES DE CUISSON

Elle a l'air toute bête, cette recette, mais je vous promets
que c'est quelque chose. Votre seule exigence : vous procurer
la meilleure sauce au caramel au beurre salé du monde entier.

1 litre de très bon jus de pomme
3 à 4 cuillerées à soupe de sauce
au caramel au beurre salé
(voir la recette page 234)
Des choses délicieuses à manger
avec la soupe : du quatre-
quarts grillé, des sablés bretons,
du *shortbread*, du pain perdu avec
un beurre à la muscade…

Dans une casserole, faites chauffer le jus de pomme
avant d'ajouter la sauce au caramel au beurre salé
que vous aurez réussi à conserver dans un pot.
Remuez bien et dégustez chaud, mais pas trop,
avec des petits biscuits croquants, des tranches de
pommes ou de poires fraîches et, éventuellement,
une crème fraîche aromatisée au calvados.
À vous de trouver des petits bols ou de jolies
chopes pour bien présenter ce dessert inattendu.
Pourquoi ne pas le servir dans un dîner tout soupe ?

CRÊPES SUZETTE

POUR 4 PERSONNES - 10 MINUTES DE PRÉPARATION - 1 HEURE DE REPOS POUR LA PÂTE À CRÊPES -
15 MINUTES DE CUISSON POUR LES CRÊPES - 15 MINUTES DE CUISSON DES CRÊPES AVEC LA SAUCE

LES CRÊPES
25 cl de lait entier frais
2 œufs moyens battus
110 g de farine
1 cuillerée à soupe de sucre
Le zeste de deux oranges

LE SIROP
Le jus de 2 oranges
Le jus de 2 citrons
100 g de sucre
125 g de beurre

Tamisez la farine puis mettez-la dans un grand
saladier avec le sucre. Façonnez un puits au centre
et versez, en les incorporant progressivement,
les œufs battus, le lait et le zeste des 2 oranges.
Battez pour que la pâte soit bien homogène,
légère et sans grumeaux. Laissez reposer 1 heure.
Vous aurez assez de pâte pour 8 petites crêpes.
Faites cuire les crêpes et gardez-les au chaud, à plat.
Dans une poêle, versez le sucre et faites-le
caraméliser. Versez les jus de citron et d'orange
puis laissez cuire et réduire légèrement.
Ajoutez le beurre en remuant pour faire dissoudre
les cristaux de sucre qui se seraient formés.
Mettez les crêpes une par une dans la poêle,
à plat, puis pliez-les au fur et à mesure
qu'elles s'imbibent de sirop.
Servez immédiatement avec éventuellement
une boule de glace à la vanille.

PAIN PERDU
AU CARAMEL

POUR 8 PERSONNES · 10 MINUTES DE PRÉPARATION · 20 MINUTES DE REPOS · 40 À 50 MINUTES DE CUISSON

6 ou 7 tranches de pain de mie anglais
50 cl de lait frais entier
50 cl de crème fleurette fraîche
4 cuillerées à soupe de sucre cassonade
3 jaunes d'œufs
1 gousse de vanille

Préchauffez le four à 160 °C.
Coupez les tranches de pain en triangles et placez-les dans un plat.
Portez à ébullition le lait et la crème avec la gousse de vanille fendue en deux.
Pendant ce temps, fouettez les jaunes d'œufs et le sucre jusqu'à ce que le mélange blanchisse et devienne mousseux.
Versez le lait chaud sur les œufs et remuez vigoureusement. Grattez l'intérieur de la gousse de vanille et mélangez les graines à la crème.
Versez la crème sur le pain et laissez gonfler pendant 15 minutes.
Enfournez et laissez cuire 40 minutes.
Juste avant de servir, parsemez de sucre et caramélisez-le avec un chalumeau.
Servez avec de la crème fraîche ou avec un sorbet.

RIZ AU LAIT CARAMÉLISÉ,
PRUNEAUX À LA LIQUEUR D'ORANGE

POUR 4 À 6 PERSONNES - 30 À 35 MINUTES DE CUISSON

50 cl de lait
50 cl de crème fleurette fraîche
1 gousse de vanille
50 g de sucre
200 g de riz rond
2 cuillerées à soupe de mascarpone
(facultatif)
3 ou 4 cuillerées à soupe de crème
de pruneaux
1 cuillerée à soupe
de Grand Marnier

100 g de sucre environ pour
caraméliser

Portez le lait et la crème à ébullition avec le sucre
et la gousse de vanille fendue en deux.
Versez le riz lorsque le lait frissonne et cuisez
très doucement pendant 30 à 40 minutes
en mélangeant de temps en temps. Si le riz
devient trop collant, rajoutez encore du lait.
Mélangez la crème de pruneaux au Grand Marnier
et versez-la dans le fond du ou des récipients.
Ôtez la vanille puis mélangez le mascarpone
si vous désirez un riz très crémeux. Versez ensuite sur
la crème de pruneaux. Laissez refroidir un peu avant
de parsemer de sucre et de caraméliser à l'aide
d'un chalumeau ou sur la grille du four très chaud.
Servez chaud, tiède ou froid.

PETITS POTS
AU CARAMEL

POUR 6 PERSONNES - 10 MINUTES DE PRÉPARATION - 50 MINUTES DE CUISSON

50 cl de lait entier frais
30 cl de crème fleurette fraîche
1 gousse de vanille fendue en deux
dans sa longueur
60 g de sucre
4 jaunes d'œufs

POUR LE CARAMEL
150 g de sucre
2 cuillerées à soupe d'eau

Faites un caramel avec le sucre et l'eau (voir la recette page 222). Laissez-le refroidir légèrement avant de le verser au fond de 6 petits pots. Mettez la crème, le lait et la gousse de vanille dans une casserole et portez à ébullition. Dans un saladier, fouettez les jaunes d'œufs avec les 60 g de sucre jusqu'à ce que le mélange blanchisse et double de volume. Versez le lait et la crème sur les jaunes et mélangez bien. Remplissez les petits pots de cette préparation à moitié. Mettez-les dans un panier vapeur dans une casserole d'eau frémissante et laissez cuire 45 minutes avec le couvercle. Laissez refroidir complètement avant de les servir.

CRÈME BRÛLÉE

POUR 4 CRÈMES - 20 MINUTES DE PRÉPARATION - 15 MINUTES DE CUISSON - 4 OU 5 HEURES DE RÉFRIGÉRATION

Tout simple, irrésistiblement crémeux sous son capot de caramel qui croque !

60 cl de crème fleurette fraîche
1 gousse de vanille
6 jaunes d'œufs
90 g de sucre

Préchauffez le four à 190 °C.
Dans une casserole, chauffez la crème sans la faire bouillir avec la gousse de vanille fendue. Dans un grand saladier, battez les jaunes d'œufs avec le sucre jusqu'à ce que le mélange blanchisse et double de volume. Grattez l'intérieur de la gousse de vanille pour en ôter les graines et mélangez-les à la crème chaude. Versez-la sur les jaunes d'œufs en remuant bien. Mettez 4 ramequins dans un plat à gratin ou tout autre plat assez grand puis posez le tout sur la grille qui ira au four. Remplissez les ramequins de crème. Versez de l'eau bouillante autour pour remplir le bain-marie, enfournez et cuisez pendant 15 minutes environ. Une petite peau se formera à la surface. Sortez du four, laissez refroidir puis reposer pendant 4 ou 5 heures au moins au réfrigérateur, une nuit entière si nécessaire. Pour caraméliser la surface des crèmes, parsemez-les d'une couche de sucre et passez-les sous un gril très chaud ou, encore mieux, utilisez un chalumeau. Laissez refroidir si vous le souhaitez. Personnellement, je préfère un petit effet chaud-froid

VARIANTES
Il y en a des milliers. Laissez faire votre imagination. Ajoutez des fruits, du chocolat, du praliné, des noix, des liqueurs et des huiles essentielles.

Desserts
des
grands
jours

TARTE TATIN AU CARAMEL AU BEURRE SALÉ EXPRESS 298

TATIN DE BANANE ET DE MANGUE SÉCHÉE TENDRE 300

BANOFFEE PIE 302

PÂTE SABLÉE 304

TREACLE TART 306

TARTE AU CHOCOLAT NOIR ET AU CARAMEL MOU 308

TARTE AU CITRON CARAMÉLISÉE 310

COUSCOUS TROP CUIT AU CHOCOLAT NOIR ET CARAMEL 312

ÎLES FLOTTANTES 314

LE TRIFLE NORMAND D'EMMANUEL LE BRETON 318

COUPE CARAMEL COMME À L'ATELIER 320

COUPE CARAMEL, POMMES, PRUNEAUX, YAOURT 322

MOUSSE AU MASCARPONE, POUDRE DE CRUESLI® AU CARAMEL 324

COUPE MELBA 326

PANNA COTTA AUX COULIS DE FRAMBOISE ET CARAMEL 328

TARTE TATIN AU CARAMEL
AU BEURRE SALÉ EXPRESS

POUR 6 PERSONNES - 10 MINUTES DE PRÉPARATION - 30 MINUTES DE CUISSON

4 ou 5 pommes Boskoop
100 g de sucre
50 g de beurre salé
1 fond de tarte en pâte feuilletée
toute prête

Épluchez les pommes et coupez-les en quartiers.
Préchauffez le four à 180 °C.
Dans un moule à manqué ou à tatin de 24 cm
(ou dans une poêle qui passe au four), faites
caraméliser le sucre avec un tout petit peu d'eau.
Hors du feu, ajoutez le beurre et remuez un peu pour
obtenir un caramel au beurre. Mettez-y les quartiers de
pomme et laissez-les confire 5 minutes à feu très doux.
Arrangez-les bien au fond du moule ou de la poêle.
Laissez refroidir.
Hors du feu, couvrez le moule avec la pâte
et bordez les côtés sur les pommes, comme un lit.
Enfournez et cuisez 25 à 30 minutes jusqu'à ce que
la pâte soit dorée.
Sortez du four et laissez refroidir quelques minutes
avant de démouler. Ne vous inquiétez pas
si les fruits restent collés dans le moule,
vous retrouverez leur trace exacte dans la pâte.
Rassemblez le tout comme un puzzle, en grattant
bien le reste de caramel au fond du moule.
Servez avec une glace au caramel
(voir la recette page 278).

TATIN DE BANANE
ET DE MANGUE SÉCHÉE TENDRE

POUR 6 À 8 PERSONNES - 5 MINUTES DE PRÉPARATION - 35 MINUTES DE CUISSON

Il est de plus en plus facile de trouver des fruits secs moelleux et tendres. Leur goût intense et leur texture se marient très bien aux bananes cuites dans la tatin. Si vous n'avez pas de mangue sous la main, remplacez-la par des dattes, des pruneaux ou des abricots.

150 g de sucre
50 g de beurre salé
3 ou 4 bananes
6 à 8 petites tranches de mangue
séchée tendre
1 paquet de pâte feuilletée
toute prête

Préchauffez le four à 180 °C.
Dans un moule allant sur le feu ou dans une poêle, caramélisez le sucre. Ajoutez le beurre et laissez-le fondre un peu en mélangeant très doucement pour bien répartir le caramel. Ôtez du feu.
Taillez les bananes en tronçons d'environ 3 cm puis posez-les dans le caramel. Placez les tranches de mangue entre les morceaux de banane.
Posez la pâte sur les fruits en bordant les côtés, comme un lit. Enfournez et laissez cuire pendant 30 à 40 minutes jusqu'à ce que la pâte soit bien dorée.
Sortez du four et laissez reposer 5 minutes avant de la retourner et de servir. Accompagnez la tatin de crème fraîche ou d'un sorbet.

Si des morceaux de fruits restent au fond du moule, ne vous inquiétez pas ; remettez-les simplement à leur place sur la pâte.

BANOFFEE PIE

POUR 6 À 8 PERSONNES - 20 MINUTES DE PRÉPARATION - 3 HEURES DE CUISSON POUR LE CARAMEL ! - 3 HEURES DE REPOS

Une des combinaisons caramélisées les plus divines : toffee, bananes, crème et une petite pointe de sel dans une base croquante. Un grand classique indétrônable.

150 g de cookies, de *digestive biscuits* de Petit Lu®
75 g de beurre salé fondu
3 bananes
1 boîte de lait concentré sucré
30 cl de crème fleurette fraîche
2 cuillerées à soupe de mascarpone
1 cuillerée à soupe de poudre de cacao

Préparez un *dulce de leche* facile (voir la recette page 236).
Dans un saladier, écrasez les biscuits, versez le beurre fondu et mélangez. Pressez les miettes des biscuits dans un moule à fond amovible de 20 cm.
Laissez durcir au réfrigérateur. Coupez les bananes en rondelles et placez-les sur la base de biscuits.
Étalez le caramel puis couvrez de crème fleurette montée en chantilly avec le mascarpone.
Laissez reposer 2 ou 3 heures puis parsemez de cacao en poudre avant de démouler et de servir.

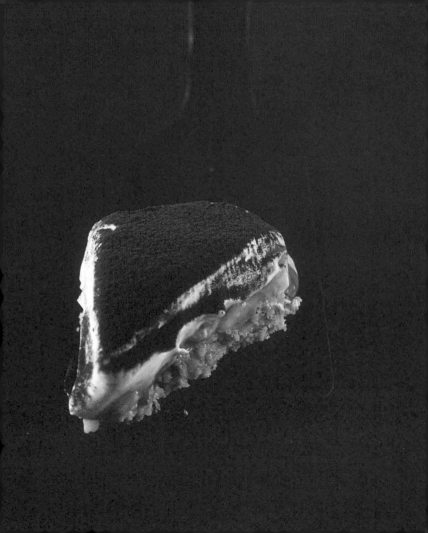

PÂTE SABLÉE

POUR UNE TARTE DE 24 CM ENVIRON - 5 MINUTES DE PRÉPARATION - 1 HEURE 30 DE RÉFRIGÉRATION

150 g de farine
75 g de beurre tout juste sorti
du réfrigérateur
2 cuillerées à soupe de sucre
cassonade
1 cuillerée à soupe d'eau très froide

Dans un mixeur, travaillez le beurre froid coupé
en dés avec la farine et le sucre pour obtenir
un mélange semblable à de la chapelure.
Creusez un petit puits au centre et versez-y de
l'eau froide. Mélangez puis formez une boule.
Couvrez de film alimentaire et laissez 1 heure
au réfrigérateur avant de garnir le fond d'un moule
à tarte de 24 cm. Remettez le moule garni
au réfrigérateur pendant 30 minutes.

CUISSON À BLANC
Étalez la pâte et garnissez-en le moule.
Remplissez de noyaux de cuisson ou de haricots
rouges, de pois chiches, etc., et faites cuire entre
15 et 20 minutes au four préchauffé à 180 °C.

TREACLE TART

POUR 6 PERSONNES - 25 MINUTES DE PRÉPARATION - 1 HEURE DE REPOS POUR LA PÂTE À TARTE -
30 MINUTES DE CUISSON

Comme son nom ne l'indique pas, cette tarte est réalisée avec
du *Golden Syrup*. C'est un grand classique des gastropubs qui mènent
la révolution culinaire à Londres.

1 pâte sablée
(voir recette page 304)

CRÈME
150 ml de Golden Syrup
20 g de beurre
80 ml de crème fleurette fraîche
2 œufs légèrement battus

Faites une pâte sablée (voir la recette page 304).
Préchauffez le four à 180 °C.
Pendant ce temps, versez le Golden Syrup dans
une petite casserole et faites-le chauffer doucement.
Ajoutez le beurre et remuez jusqu'à ce que le mélange
soit bien homogène. Hors du feu, ajoutez la crème
et les œufs puis mélangez de nouveau.
Versez dans le moule avec la pâte puis faites cuire
30 à 35 minutes jusqu'à ce que la pâte soit dorée
et l'intérieur cuit.
Laissez refroidir la tarte quelques minutes avant de servir.

TARTE AU CHOCOLAT NOIR
ET AU CARAMEL MOU

POUR 8 À 10 PERSONNES - 40 MINUTES DE PRÉPARATION - 3 HEURES DE REPOS - 25 MINUTES DE CUISSON

Tout le contraste de la force du chocolat noir et de la douceur sucrée du caramel est sublimé dans cette tarte très riche. La pâte, elle, à peine sucrée et croquante avec ses amandes grillées, est la base parfaite pour les deux ingrédients vedettes de la recette.

LA PÂTE SABLÉE AUX AMANDES
200 g de farine
50 g d'amandes effilées grillées
à la poêle puis refroidies
2 cuillerées à soupe de sucre glace
100 g de beurre non salé très froid

LA CRÈME
4 ou 5 cuillerées à soupe de caramel
mou (voir la recette page 234,
la sauce au caramel au beurre salé
refroidie)
200 g de chocolat noir
50 g de beurre doux

PÂTE SABLÉE AUX AMANDES

Coupez le beurre en dés. Mettez-le dans le bol d'un mixeur contenant tous les autres ingrédients et travaillez jusqu'à l'obtention d'un mélange ressemblant à de la chapelure. Ajoutez une cuillerée à soupe d'eau très froide, mélangez encore et formez une boule. Emballez de film alimentaire et laissez une bonne heure au réfrigérateur.
Tapissez le fond d'un plat à tarte de 24 cm de cette pâte et remettez-le au réfrigérateur ½ heure.
Préchauffez le four à 180 °C. Mettez des noyaux de cuisson sur le fond de tarte et cuisez-la pendant 20 à 25 minutes pour qu'elle soit bien dorée.
Laissez refroidir complètement.

CRÈME

Étalez le caramel dans le fond de tarte.
Faites fondre le beurre et le chocolat ensemble au bain-marie ou au micro-ondes. Remuez pour que le mélange soit bien lisse. Versez-le sur le caramel et laissez refroidir au frais pendant 2 heures minimum.
Servez en fines « lichettes » accompagnées de crème Chantilly.

TARTE AU CITRON CARAMÉLISÉE

POUR 4 PERSONNES · 30 MINUTES DE PRÉPARATION · 40 MINUTES DE CUISSON · 1 HEURE DE REPOS DE LA PÂTE

LA PÂTE

90 g de beurre doux sorti du
réfrigérateur, coupé en cubes.
150 g de farine
1 cuillerée à soupe de sucre glace
1 cuillerée à soupe d'eau très froide

LE SIROP

Le jus et le zeste de 5 citrons
moyens ou 4 gros
150 g de sucre
6 œufs
40 cl de crème fleurette fraîche

LE CARAMEL

Sucre glace pour caraméliser

LA PÂTE

Préparez la pâte en mettant le beurre, le sucre et
la farine dans le bol d'un robot puis travaillez jusqu'à
ce que le mélange ressemble à la chapelure.
Liez avec 1 cuillerée à soupe d'eau très froide, formez
une boule et placez au réfrigérateur pendant 1 heure.
Roulez la pâte et tapissez un moule à tarte
de 15 cm de diamètre. Remettez au réfrigérateur
pendant une trentaine de minutes de plus, puis
cuisez à blanc à 180 °C une dizaine de minutes,
en lestant de légumes secs ou de noyaux de cuisson,
jusqu'à ce que la pâte soit légèrement dorée.

LE SIROP

Baissez le four à 150 °C.
Mettez le zeste, le jus et le sucre dans une casserole
puis chauffez doucement jusqu'à ce que le sucre soit
dissous. Battez les œufs, ajoutez la crème et versez
dans une casserole. Chauffez très doucement :
il ne faut pas que le mélange bouillonne. Tout en
fouettant, ajoutez le sirop de citron chaud puis versez
le tout à travers un tamis sur le fond de tarte.
Cuisez pendant 35 minutes environ. Sortez
du four, laissez refroidir puis mettez la tarte au
réfrigérateur pour qu'elle refroidisse complètement.
Avant de servir, parsemez la surface de la tarte
de sucre glace et caramélisez avec un chalumeau.

COUSCOUS TROP CUIT
AU CHOCOLAT NOIR ET CARAMEL

POUR 6 PERSONNES · 20 MINUTES DE CUISSON

1 sachet de couscous en sachet cuisson (très facile à trop cuire : il suffit d'ignorer les instructions figurant sur le paquet !)
175 g de bon chocolat noir
2 cuillerées à soupe de sucre
1 petite barquette de framboises fraîches
4 morceaux de sucre pour le caramel

Préparez un caramel avec les morceaux de sucre légèrement imbibés d'eau. Hors du feu, ajoutez ¾ de la barquette de framboises. Attention de ne pas vous faire éclabousser par le caramel. Les framboises cuiront et lâcheront leur jus qui se mêlera délicieusement au caramel. Si des grumeaux se forment, remettez la casserole sur le feu et chauffez doucement. Passez le jus au tamis puis ajoutez le reste des framboises, sans trop remuer, afin qu'elles se pochent un peu tout en restant entières. Réservez. Faites trop cuire le couscous. Vous en aurez certainement trop pour six, même dans un seul paquet. À vous de juger. Lorsqu'il est honteusement gonflé et collant, rajoutez le chocolat et remuez bien pour qu'il fonde dans les graines. Ajoutez le sucre et remuez de nouveau. Confectionnez des puits de couscous tiède au chocolat et coulez le jus de framboises au centre.

ÎLES FLOTTANTES

POUR 6 À 8 PERSONNES - 20 MINUTES DE PRÉPARATION - 15 MINUTES DE CUISSON

50 cl de lait entier
30 cl de crème fleurette fraîche
1 gousse de vanille
10 œufs, blancs et jaunes séparés
250 g de sucre
100 g de sucre pour le caramel
2 cuillerées à soupe d'eau

LA CRÈME ANGLAISE

Dans une grande casserole, portez à ébullition le lait, la crème et la gousse de vanille fendue en deux. Pendant ce temps, battez les jaunes d'œufs avec 200 g de sucre jusqu'à ce que la préparation blanchisse et double de volume. Versez le lait chaud sur les jaunes en remuant vigoureusement puis remettez le tout dans la casserole. Chauffez à feu moyen, en remuant sans cesse, jusqu'à ce que la crème épaississe suffisamment pour napper le dos d'une cuillère en bois. Ôtez immédiatement du feu mais continuez à remuer quelques minutes avec la cuillère car la chaleur résiduelle continuera à cuire la crème. Laissez refroidir complètement. Ôtez la gousse de vanille en la grattant pour en extraire les dernières graines.

LES « ÎLES »

Battez les blancs en neige en ajoutant petit à petit 50 g de sucre. Lorsqu'ils sont bien fermes, confectionnez des « îles » avec une cuillère en métal puis cuisez-les, soit au micro-ondes, soit dans du lait bouillant. Dans le lait, pochez les blancs montés en neige, cuillerée par cuillerée, en les tournant de tous les côtés. Égouttez-les sur une serviette et faites-les refroidir. Au micro-ondes, il suffit d'une dizaine de secondes. Posez les îles directement sur le plateau de verre et cuisez-les à puissance maximale. Vous les verrez gonfler légèrement lorsqu'elles seront cuites.

Tournez la page pour la suite de la recette…

ÎLES FLOTTANTES

SUITE ET FIN DE LA RECETTE

LE CARAMEL

Environ 1 heure avant de servir, réalisez un caramel avec 100 g de sucre et 2 cuillerées à soupe d'eau. Vous pouvez le verser directement sur les îles ou le travailler un peu afin d'obtenir un caramel « tiré ». Pour cela, il faut attendre que le caramel soit assez froid et solide pour faire des fils très fins sans pour autant vous brûler les doigts. S'il fige de trop, il suffit de le remettre quelques secondes sur le feu. Il vaut mieux ne pas laisser le plat ainsi décoré trop longtemps au réfrigérateur car le caramel n'aime pas l'humidité et risque de ramollir.

LE TRIFLE NORMAND
D'EMMANUEL LE BRETON

POUR 4 PERSONNES - 10 MINUTES DE PRÉPARATION - 10 MINUTES DE CUISSON - 4 HEURES DE RÉFRIGÉRATION

4 pommes Boskoop
6 à 8 palets bretons pur beurre
4 cuillerées à soupe de calvados
4 à 5 cuillerées à soupe de sauce
au caramel au beurre salé
(voir la recette page 234)
25 cl de crème fleurette fraîche
2 cuillerées à soupe de mascarpone
2 cuillerées à soupe de sucre

Épluchez et taillez les pommes en quartiers. Dans une casserole, faites-les compoter avec 2 cuillerées à soupe de sucre, à couvert avec un tout petit peu d'eau, jusqu'à ce qu'elles soient bien fondantes. Réduisez-les en purée et laissez-les refroidir complètement. Dans 4 petites coupes ou verres, émiettez les biscuits et imbibez-les de calvados. Mettez une couche de compote de pommes puis une couche de caramel. Coiffez le tout de crème fleurette montée en chantilly avec le mascarpone.
Laissez reposer au réfrigérateur au moins 3 ou 4 heures. Vous pouvez, bien sûr, augmenter les quantités et monter le trifle dans une grande et belle coupe transparente.

COUPE CARAMEL
COMME À L'ATELIER

POUR 4 PERSONNES · 10 MINUTES DE PRÉPARATION

4 tranches de quatre-quarts
50 cl de glace au caramel
50 cl de glace à la vanille
4 cuillerées à soupe de noisettes
caramélisées écrasées (voir page
232, amandes caramélisées)
20 cl de crème fleurette fraîche
Quelques gouttes d'extrait de vanille
2 à 3 cuillerées à soupe de sucre
Caramel liquide tout fait
(2 cuillerées à soupe par coupe)
50 g de noisettes

Préparez une crème Chantilly avec la crème
fleurette, le sucre et les gouttes d'extrait de vanille.
Faites ramollir les glaces et réunissez tous
les ingrédients avant de commencer l'assemblage.
Au fond de 4 grandes coupes à glace, placez le quatre-
quarts coupé en dés que vous imbiberez de caramel
liquide. Posez ensuite une boule de glace à la vanille
puis quelques noisettes, quelques gouttes de caramel,
une boule de glace au caramel, les noisettes,
quelques gouttes de caramel… Bon, vous avez compris.
Coiffez les coupes de crème Chantilly et servez
immédiatement.

COUPE CARAMEL,
POMMES, PRUNEAUX, YAOURT

POUR 4 PERSONNES - 25 MINUTES DE PRÉPARATION - 1 HEURE DE REPOS SI VOUS PRÉPAREZ LES COMPOTES
VOUS-MÊME, 10 MINUTES SI VOUS AVEZ TOUT ACHETÉ TOUT FAIT

2 yaourts grecs de 150 g
4 pommes Boskoop ou deux
pots de compote de pommes
sans sucre ajouté au rayon frais
(bien meilleure quand elle est faite
maison !)
4 cuillerées à soupe de sauce
au caramel au beurre salé de
chez Ladurée, Joël Durand
ou voir la recette page 234)
4 cuillerées à soupe de crème
de pruneaux en pot de préférence
ou 8 à 10 pruneaux d'Agen
dénoyautés

Préparez une compote de pommes en
les épluchant, en les taillant en quartiers puis
en les faisant cuire à l'étouffée avec un tout
petit peu d'eau pendant 10 minutes environ.
Réduisez-les en purée et laissez-les refroidir.
Pour faire la purée de pruneaux, utilisez
le même procédé, mais cuisez-les beaucoup
moins longtemps et mixez-les au robot
afin d'obtenir une consistance bien lisse.
Ensuite, faites des couches successives de
tous les ingrédients puis servez avec des biscuits
croquants aux amandes ou aux épices.

MOUSSE AU MASCARPONE,
POUDRE DE CRUESLI® AU CARAMEL

POUR 6 PERSONNES

On peut facilement juger la popularité d'un ingrédient à sa propension d'envahir les yaourts et les céréales. Ici, Quaker a eu la bonne idée d'ajouter des pépites de caramel dans son Cruesli®. Profitons-en !

LA MOUSSE
20 cl de crème fleurette fraîche
4 cuillerées à soupe de mascarpone
2 jaunes d'œufs
Les graines de 1 gousse de vanille
75 g de sucre en poudre

LA POUDRE DE CRUESLI
4 cuillerées à soupe de Cruesli®
au caramel
100 g de sucre
2 cuillerées à soupe d'eau

Mettez tous les ingrédients de la mousse dans un grand saladier et montez-les en chantilly bien ferme.
Versez la mousse dans 6 jolies coupes et laissez reposer au frais.
Réduisez le Cruesli® en poudre fine dans un mini-hachoir ou en l'écrasant avec un rouleau à pâtisserie.
Posez la poudre de Cruesli® sur un tapis en silicone.
Préparez le caramel (voir la recette page 222) et versez-le sur le Cruesli®. Laissez durcir puis écrasez le caramel avec un rouleau à pâtisserie.
Mélangez la poudre à la mousse juste avant de servir, ou servez-la à part.

COUPE MELBA

POUR 4 PERSONNES - 10 MINUTES DE PRÉPARATION - 10 MINUTES DE CUISSON - 1 HEURE DE REPOS
POUR UNE SAUCE À LA FRAMBOISE

Une variation sur une combinaison classique gagnante. Ici, on rajoute
la caramélisation pour un effet chaud-froid très, très simple.

2 nectarines jaunes
250 g de framboises ou de fraises
fraîches
2 cuillerées à soupe de sucre glace
2 cuillerées à soupe de sucre
cassonade
50 g de beurre salé
4 boules de – bonne – glace
à la vanille ou de panna cotta
ou de mousse mascarpone

Pour préparer la sauce à la framboise, cuisez-les
dans une petite casserole avec un tout petit
peu d'eau. Réduisez-les en purée et ajoutez
le sucre glace. Laissez refroidir.
Les fraises, elles, perdront de leur goût si elles
sont cuites. Il suffit de les équeuter puis de
les réduire en purée avec le sucre glace.
Dans une poêle, faites chauffer le beurre.
Coupez les nectarines en deux et passez-les à la poêle.
Ajoutez le sucre au bout d'une minute ou deux et
arrosez bien avec la sauce qui s'est formée avec
le jus des fruits, le beurre et le sucre. Surveillez bien
pour que ce caramel ne brûle pas. Réservez.
Posez quatre boules de glace dans quatre jolies
coupes, arrosez de sauce à la framboise ou à la fraise,
posez une nectarine caramélisée puis servez.

PANNA COTTA AUX COULIS
DE FRAMBOISE ET CARAMEL

POUR 4 PERSONNES · 15 MINUTES DE PRÉPARATION · 25 MINUTES DE CUISSON · 4 HEURES AU MOINS DE REFROIDISSEMENT

Fini le stress du démoulage de la panna cotta. Sortez vos plus jolis verres et faites-en une version sans trop de gélatine.

50 cl de crème fleurette fraîche
50 g de sucre
1 gousse de vanille
2 feuilles de gélatine
250 g de framboises fraîches
100 g de sucre
2 cuillerées à soupe d'eau

Mettez la crème, le sucre et la gousse de vanille fendue en deux dans sa longueur dans une casserole puis portez à ébullition.
Laissez cuire très doucement à feu doux pendant 15 minutes.
Trempez les feuilles de gélatine dans un bol d'eau froide.
Ôtez la casserole du feu, retirez la gousse de vanille et grattez les graines restantes.
Pressez les feuilles de gélatine afin de bien extraire l'eau puis plongez-les dans la crème chaude. Remuez jusqu'à ce qu'elles soient totalement dissoutes.
Versez la crème dans des récipients et placez au réfrigérateur pendant au moins 4 heures, une nuit entière si possible.
Préparez un caramel avec le sucre et l'eau. Hors du feu, ajoutez les framboises entières puis replacez la casserole sur le feu afin de dissoudre les grumeaux de sucre qui pourraient se former. Laissez refroidir complètement avant de couler une petite couche sur chaque panna cotta.

index
des recettes
et des ingrédients

A

agrumes 40
　airelles aux zestes d'orange 40
airelle 40
　airelles aux zestes d'orange 40
amande
　amandes grillées et caramélisées 232
　florentins (ou presque !) 116
　gâteau riche au chocolat au lait,
　aux dattes et aux amandes 62
　mendiants 90
　palets 92
　pâte sablée aux amandes 308
　rochers 94
amandes en poudre
　cake au chocolat, aux noisettes
　et aux amandes 132
　gâteau aux amandes et au chocolat noir 48
　gâteau riche au chocolat au lait,
　aux dattes et aux amandes 62
Angel Delight®
　« délice des anges » *butterscotch* 274

B

Baileys
　petits pots au Baileys 184
banane
　banoffee au chocolat 178
　banoffee pie 302
　mini-banana splits caramélisés 280
　tatin banane-chocolat 192
　tatin de banane et de mangue
　séchée tendre 300
beignets imprégnés à la pomme et au caramel 266
beurre de cacahuète
　cookies aux deux chocolats
　et beurre de cacahuète 112
biscuits
　cœur de beurre fourré au chocolat au lait 264
puits gourmands 110

biscuits à la cuiller
　tiramisù au chocolat 172
boissons
　chocolat chaud 102
　mocha viennois au caramel 254
bonbons 24
　nounours endormis 98
　top hats hauts-de-forme gourmands 96
bouchées
　mendiants 90
　nounours endormis 98
　orangettes 76
　palets 92
　petits sujets moulés 80, 82
　pruneaux truffés à la ganache 88
　rochers 94
　top hats hauts-de-forme gourmands 96
　truffes 84
　truffes chocolat blanc – thé vert 86
　tuiles 78
brioche 148
　sandwich chaud 130
broche à tremper 18
brownies
　les meilleurs brownies 44
　triple choc brownie crunch 56, 58
butterscotch
　« délice des anges » *butterscotch* 274
　gâteau au chocolat au lait,
　spéculoos et butterscotch 268

C

cacao en poudre 10, 24
café
　mocha viennois au caramel 254
cake au chocolat, aux noisettes
et aux amandes 132
CARAMBAR®
　bâtonnets au toffee et guimauve 262
　sauce aux CARAMBAR® 248
casserole à fond lourd 218

cassis 40

cerise 40

cerises confites
florentins (ou presque !) 116

chalumeau 220

chamallows
bâtonnets au toffee et guimauve 262
carrés aux marshmallows
et au chocolat blanc 134

chantilly 102, 144

chocolat de couverture 14, 23, 80
yaourt basque au chocolat maison 152

citron
crêpes Suzette 286
golden syrup cake, beurre
au golden syrup et au citron 272
tarte au citron caramélisée 310

citron vert
pavlova au chocolat, citron vert
et fruits de la Passion 200

cookies
cookies : les classiques 108
cookies aux deux chocolats
et beurre de cacahuète 112
cookies aux flocons d'avoine 104
cookies pistache et sirop d'érable 106

copeaux 14, 24

coupes
coupe caramel comme à l'Atelier 320
coupe caramel, pommes, pruneaux, yaourt 322
coupe Melba 326

couscous trop cuit au chocolat noir et caramel 312

crème anglaise
crème anglaise au caramel 246
crème anglaise au chocolat noir ou blanc 38
crème anglaise classique 38
îles flottantes 314, 316
îles flottantes au chocolat 176, 182

crème au beurre 32, 46, 48, 144
crème au beurre au chocolat blanc ou au lait 32
cupcakes 126

crème au caramel
crème brûlée 294
petits pots au caramel 292

crème au chocolat 30
crème brûlée au chocolat 158
petites crèmes au chocolat
comme celles de ma maman 156
tarte absolue 208

crème au chocolat blanc
tartelettes au chocolat blanc 212

crème au chocolat praliné
tarte au chocolat praliné
et caramel au cacao 210

crème de marrons
pavé au chocolat et aux marrons glacés 68

crème de pruneaux
coupe caramel, pommes, pruneaux, yaourt 322
riz au lait caramélisé, pruneaux
à la liqueur d'orange 290

crème pâtissière au caramel 244

crêpes Suzette 286

Cruesli®
mousse au mascarpone, poudre de Cruesli®
au caramel 324

cuillère en bois 220

cuillères au caramel pour touiller 256

cupcakes 126

D

datte
gâteau riche au chocolat au lait,
aux dattes et aux amandes 62

digestive biscuits
banoffee au chocolat 178
banoffee pie 302
cheese-cake sans cuisson 202

dulce de leche facile 236
banoffee pie 302

E

éclats de fèves de cacao 16

emporte-pièces 18
escargots pralinés
    gâteau escargot 204

F

fer à crème brûlée 220
feuille guitare 18, 26
flocons d'avoine
    cookies aux flocons d'avoine 104
    flapjacks au miel 270
    granola au chocolat 128
fondues
    fondue au caramel 238
    fondue au chocolat 168
framboise 40
    coupe Melba 326
    couscous trop cuit au chocolat noir et caramel 312
    mille-feuille au chocolat
    blanc et aux framboises 194
    panna cotta aux coulis
    de framboise et caramel 328
fruit de la Passion
    pavlova au chocolat, citron vert
    et fruits de la Passion 200
fruits au caramel 230
fruits confits
    florentins (ou presque !) 116
fruits rouges 40
fudge 260
    « délice des anges » *butterscotch* 274
    glaçage choc fudge praline 242

G

ganache 30, 144, 188
    cupcakes 126
    ganache ultrasimple 30
    gâteau « c'est moi qui l'ai fait »
    aux mûres et myrtilles 196
    pruneaux truffés à la ganache 88
    truffes 84
    truffes chocolat blanc – thé vert 86

gâteau éponge
    gâteau très léger 46
gâteau Golden Syrup
    golden syrup cake, beurre
    au golden syrup et au citron 272
gâteaux
    gâteau « c'est moi qui l'ai fait »
    aux mûres et myrtilles 196, 198
    gâteau aux amandes et au chocolat noir 48
    gâteau aux noisettes et au chocolat blanc 60
    gâteau riche au chocolat au lait,
    aux dattes et aux amandes 62
    gâteau roulé au chocolat 142, 144
    gâteau très léger 46
    gâteau très riche sans farine ni batteur 54
    le gâteau au chocolat fondant de Nathalie 52
    le gâteau au Petit Beurre Lu® d'Emmanuelle 66
    le gâteau indémoulable de Jean-François 64
    les meilleurs brownies 44
    mi-cuit 50
    triple choc brownie crunch 56, 58
génoise
    gâteau « c'est moi qui l'ai fait »
    aux mûres et myrtilles 196, 198
    gâteau aux amandes et au chocolat noir 48
    gâteau très léger 46
    trifle à la forêt-noire 174, 176
génoise au café 46
gingembre confit
    shortbread aux pistaches et au gingembre 120
glaçage 28, 48
    glaçage au caramel 240
    glaçage choc fudge praline 242
    glaçage simple au chocolat noir 28
    puits gourmands 110
glace au caramel au beurre salé 278
Golden Syrup
    flapjacks au miel 270
    golden syrup cake, beurre
    au golden syrup et au citron 272
    treacle tart 306

granité de café
    tuiles au granola et granité de café 186
granola
    granola au chocolat 128
    tuiles au granola et granité de café 186
griottes au kirsch
    trifle à la forêt-noire 174, 176
groseille 40

I

îles flottantes 314, 316
    îles flottantes au chocolat 182

J

jus de pomme
    soupe de pommes au meilleur caramel
    au beurre salé du monde entier 284

L

lait concentré sucré
    banoffee au chocolat 178
    banoffee pie 302
    carrés aux marshmallows
    et au chocolat blanc 134
    dulce de leche facile 236
    fudge 260
    yaourt basque au chocolat maison 152

M

mangue séchée
    tatin de banane et de mangue séchée tendre 300
marrons glacés
    pavé au chocolat et aux marrons glacés 68
mascarpone
    cheese-cake sans cuisson 202
    tiramisù au chocolat 172
meringue
    le gâteau aux Petit Beurre Lu® d'Emmanuelle 66
    pavlova au chocolat, citron vert
    et fruits de la Passion 200

miel
    flapjacks au miel 270
    les célèbres caramels au chocolat
    et au miel de Martine 258
    madeleines au chocolat et au miel 122
moules en silicone 18
mousses
    mousse au chocolat au lait 164
    mousse au chocolat au lait
    et caramel au beurre salé 282
    mousse au chocolat blanc 166
    mousse au chocolat blanc 56
    mousse au chocolat noir 160
    mousse au chocolat noir
    un peu plus élaborée 162
    mousse au mascarpone,
    poudre de Cruesli® au caramel 324
    triple choc brownie crunch 56, 58
muffins au chocolat 124
mûre 40
    gâteau « c'est moi qui l'ai fait »
    aux mûres et myrtilles 196, 198
myrtille 40
    gâteau « c'est moi qui l'ai fait »
    aux mûres et myrtilles 196, 198

N

nectarine
    coupe Melba 326
noisette
    cake au chocolat, aux noisettes
    et aux amandes 132
    coupe caramel comme à l'Atelier 320
    palets 92
    saucisson 138
noisettes en poudre
    gâteau aux noisettes et au chocolat blanc 60
noix de coco râpée
    carrés aux marshmallows
    et au chocolat blanc 134

O

orange
    airelles aux zestes d'orange 40
    crêpes Suzette 286
orange confite
    mendiants 90
    orangettes 76

P

pain perdu
    pain perdu au caramel 288
    pain perdu au chocolat 148
palets bretons
    le trifle normand d'Emmanuel le Breton 318
panettone 148
pastilles 14, 20, 22
pâte sablée 304
    pâte sablée au chocolat 206
    pâte sablée aux amandes 308
    tarte absolue 208
    tarte au chocolat praliné
    et caramel au cacao 210
    tartelettes au chocolat blanc 212
    treacle tart 306
pavé au chocolat
    le pavé au chocolat de Virginie 72
    pavé au chocolat et aux marrons glacés 68
    pavé aux trois chocolats 70
pépites de chocolat 16
    biscotti 114
    cookies : les classiques 108
    granola au chocolat 128
Petit Lu®
    carrés aux marshmallows
    et au chocolat blanc 134
    Naomi's bars 136
petits-suisses à la sauce au chocolat 154
Pim's à l'orange®
    saucisson 138
pinceau 220

pistache
    cookies pistache et sirop d'érable 106
    mendiants 90
    shortbread aux pistaches et au gingembre 120
poche à douille 18
poire
    poire rôtie farcie de pesto au chocolat 190
    poires Belle-Hélène 180
pomme
    beignets imprégnés à la pomme
    et au caramel 266
    coupe caramel, pommes, pruneaux, yaourt 322
    le trifle normand d'Emmanuel le Breton 318
    tarte Tatin au caramel
    au beurre salé express 298
pruneau d'Agen
    coupe caramel, pommes, pruneaux, yaourt 322
    pruneaux truffés à la ganache 88

Q

quenelles au chocolat 188

R

raisins secs
    florentins (ou presque !) 116
    mendiants 90
    saucisson 138
Rice Krispies®
    bâtonnets au toffee et guimauve 262
    pièce montée aux céréales Rice Krispies® 140
ricotta
    cheese-cake sans cuisson 202
riz au lait
    riz au lait au puits de chocolat fondu 150
    riz au lait caramélisé, pruneaux
    à la liqueur d'orange 290

S

sauce au caramel
    sauce aux CARAMBAR® 248

beignets imprégnés à la pomme
et au caramel 266
sauce au caramel au beurre salé 234
toffee sauce 250
sauce au caramel au beurre salé 234
beignets imprégnés à la pomme
et au caramel 266
coupe caramel, pommes, pruneaux, yaourt 322
fondue au caramel 238
le trifle normand d'Emmanuel le Breton 318
soupe de pommes au meilleur caramel
au beurre salé du monde entier 284
tarte au chocolat noir et au caramel mou 308
sauce au chocolat 34, 44, 56, 72, 280
chocolate fudge sauce 36
mini-banana splits caramélisés 280
pain perdu au chocolat 148
petits-suisses à la sauce au chocolat 154
sauce au chocolat au lait 56
sauce au chocolat blanc, au lait ou noir 34
sauce chocolat-café 36, 180
shortbread
« délice des anges » *butterscotch* 274
shortbread au chocolat 118
shortbread aux pistaches et au gingembre 120
spatule coudée 18
spéculoos
gâteau au chocolat au lait,
spéculoos et butterscotch 268
sponge cake
gâteau très léger 46
sucre glace 24

T
tapis en silicone 18, 218
tartes
banoffee pie 302
tarte absolue 208
tarte au chocolat noir et au caramel mou 308
tarte au chocolat praliné et
caramel au cacao 210
tarte au citron caramélisée 310
tarte Tatin au caramel au beurre
salé express 298
tartelettes au chocolat blanc 212
tatin banane-chocolat 192
tatin de banane et de mangue
séchée tendre 300
treacle tart 306
tempérage 20, 22, 82
toffee 274, 302
bâtonnets au toffee et guimauve 262
toffee sauce 250
triangle 18
trifle
le trifle normand d'Emmanuel le Breton 318
trifle à la forêt-noire 174, 176

Y
yaourt basque au chocolat maison 152
yaourt grec
coupe caramel, pommes, pruneaux, yaourt 322